FRANÇOIS Ier
LE CHEVALIER DE L'AMOUR

DU MÊME AUTEUR

Morny, le roi du Second Empire, Perrin, 1983
L'Impératrice Eugénie ou le Roman d'une ambitieuse,
Perrin, 1985
Les Orléans, Critérion, 1986
La Callas, Perrin, 1991
Humeur et humour de Tristan Bernard, J. Grancher, 1993
Moi, capitaine Dreyfus, Challenges d'Aujourd'hui, 1994
Les Reines de cœur, Bartillat, 1995
Le Cœur de la reine, Bartillat, 1996
La Valse viennoise au temps des Strauss, Solar, 1997
La Belle Histoire de l'opérette, Solar, 1997
Les Révoltes de Paris, Bartillat, 1998
Le Mystère du Masque de Fer, Tallandier, 1998
Offenbach, Perrin, 1998

CLAUDE DUFRESNE

FRANÇOIS Ier
LE CHEVALIER
DE L'AMOUR

belfond
12, avenue d'Italie
75013 Paris

Si vous souhaitez recevoir notre catalogue
et être tenu au courant de nos publications,
envoyez vos nom et adresse, en citant ce livre,
aux Éditions Belfond,
12, avenue d'Italie, 75013 Paris.
Et, pour le Canada, à
Édipresse Inc., 945, avenue Beaumont,
Montréal, Québec, H3N 1W3.

ISBN 2.7144-3584.X
© Belfond 1999.

À Michèle et André Castelot

1

Des débuts prometteurs

« François Ier, venant à son règne, considérant que toute la décoration d'une Cour était des dames, l'en voulut peupler plus que de coutumes anciennes. Comme de vrai, une Cour sans dames, c'est un jardin sans aucunes belles fleurs et mieux ressembler une Cour d'un satrape ou d'un turc que non pas d'un grand roi chrétien. »

Ces propos, que cite Brantôme, le jeune roi François Ier les tient dès les premiers jours de son avènement, en 1515, et, pour qu'il n'y ait nulle équivoque sur son goût prononcé pour le beau sexe et sur ses intentions à son égard, le souverain ajoute :

— Je ne veux autour de moi que les plus belles et les plus gentilles.

« Gentille », le mot n'a pas alors la signification qu'il a aujourd'hui : les dames « gentilles » étaient celles qui ne faisaient point trop de manières pour défendre leur vertu. En ce domaine, comme en d'autres, François n'avait pas de temps à perdre. Ce goût des joies que l'amour apporte, il l'a trouvé dans son berceau : sa mère, Louise de Savoie, a coutume de répéter que « seul l'amour pare l'existence et vivifie les choses ».

Dès ses premiers vagissements, François baigne donc dans un climat d'amour. De la part de sa mère d'abord ; ce n'est pas pour rien que, lorsqu'elle parle de lui, Louise le nomme « mon César ». Pour son « César », elle va combattre sa vie durant, toutes griffes dehors, et c'est pour une bonne part grâce à elle que ce petit-cousin éloigné du roi de France Louis XII se retrouvera sur le trône. Ce fils, elle l'a aimé passionnément avant même qu'il ne voie le jour. La façon dont elle rend compte dans son *Journal* de la naissance de cet enfant prodige traduit l'euphorie dans laquelle l'événement la plonge :

« François, par la grâce de Dieu, roi de France, et mon César pacifique, prit la première expérience de lumière mondaine environ dix heures après midi 1494, le douzième jour de septembre. » Contrairement à la coutume de l'époque qui veut que l'éducation des jeunes enfants de la noblesse soit laissée aux domestiques, Louise va veiller elle-même sur celle de son fils. Mais son amour, aussi absolu soit-il, ne l'aveugle pas. Elle pressent que ce garçon est promis aux plus hautes destinées et, comme tel, se doit d'acquérir les qualités qu'elles requièrent. Elle s'emploie donc à faire régner autour de lui une stricte discipline, en même temps qu'elle surveille ses dépenses, car elle a déjà remarqué chez lui cette tendance à la prodigalité qui, plus tard, enrichira si brillamment le patrimoine artistique de la France. Mais, surtout, elle va lui enseigner des principes de chevalerie qui influenceront son comportement tout au long de son règne.

Si l'amour maternel dont il est l'objet comble les vœux de François, son goût des jolies femmes, qu'il manifeste dès l'adolescence, lui vient d'une autre hérédité : celle de ses ascendants mâles. Comme l'écrit un chroniqueur du temps, « chez les princes de la maison de Savoie, l'amour des femmes leur était une ardeur de famille ». Avec son père, le comte Charles d'Angoulême, François a sous les yeux un exemple édifiant. Le château de Cognac, où résident ses parents, abrite aussi... les deux maîtresses du comte ! La fille du gouverneur d'Angoulême, Antoinette de Polignac, et Jeanne Comte, une jolie fille du peuple, dont la présence nous démontre que Charles est éclectique dans ses amours. Louise, sa jeune épouse, s'accommode fort bien du double adultère qui se déroule sous ses yeux. Mieux, elle fait d'Antoinette sa dame d'honneur, et de Jeanne sa suivante. Difficile de manifester plus de compréhension. En 1492, Louise donne une fille à son époux et, deux ans plus tard, le destin se plaisant parfois à jouer des tours, les trois dames, l'épouse légitime et les deux « favorites », se retrouvent enceintes en même temps, performance qui témoigne de la robuste santé de Charles d'Angoulême et d'une inlassable ardeur dont son fils héritera.

Au château de Cognac, l'existence du quatuor est bien organisée : chaque soir, Charles choisit l'élue de la nuit, s'efforçant de maintenir une juste parité entre les trois « prétendantes ». Antoinette et Jeanne ont accouché chacune d'une fille, et François grandit en compagnie de Marguerite, sa sœur « officielle », et de ses deux demi-sœurs de la main gauche, sans être apparemment troublé par cette situation insolite.

Seul accident dans le cours des jours, la disparition brutale de Charles d'Angoulême le 1er janvier 1496. Le comte meurt non pas de fatigue, comme on pourrait le supposer, mais de manière plus banale : un refroidissement à la suite d'une partie de chasse. Sa mort ne modifie en rien le mode de vie des habitants du château. Louise n'entend pas se séparer des deux maîtresses de feu son mari, qui sont devenues ses meilleures amies. De plus, la jeune femme n'est pas un parangon de vertu : Jean de Saint-Gelais, son chambellan, l'aide à supporter son veuvage. Pourtant, en dépit de ces compensations domestiques, son fils est l'objet

11

de toute sa tendresse ; il témoigne déjà d'une robustesse et d'un appétit qui font l'admiration de son entourage et laissent augurer l'athlète qu'il sera. Et voilà qu'un événement se produit qui va bouleverser l'existence de la « tribu ». Le 7 avril 1498, le roi de France, Charles VIII, heurte de la tête une porte du château d'Amboise. Le choc est si violent que le souverain trépasse quelques heures plus tard. Marié à la jeune duchesse Anne de Bretagne, Charles n'avait pas d'enfant, et la couronne passe sur la tête de son cousin germain, le duc d'Orléans, qui devient le roi Louis XII.

Cette succession ouvre à Louise des perspectives radieuses : son fils bien-aimé, son César, est le plus proche parent du nouveau monarque, le voici donc l'héritier du trône de France ! Déjà, elle le voit ceint de la couronne royale. Louis XII, bien qu'il n'ait que trente-six ans, a vieilli prématurément ; sa santé délicate peut laisser croire à sa fin prochaine, et cette perspective remplit d'allégresse le cœur de Louise ! La reine Jeanne, la femme que Louis XII a été contraint d'épouser, est à la fois fort laide et stérile, ce qui est beaucoup pour une seule et même personne, mais du moins cette incapacité à procréer écarte tout danger de concurrence pour le petit François. Louise n'a donc plus qu'à espérer la disparition du roi, tout en préparant son fils à son glorieux destin. En attendant, plus question de demeurer à Cognac : Louis XII, bien qu'il ne porte pas Louise dans son cœur, car il n'ignore pas la nature de ses sentiments, exige que son héritier vienne vivre auprès de lui, à Chinon, où il réside présentement. Quoi de plus naturel en effet que de suivre l'évolution d'un garçon qui lui succédera un jour. Quand il voit débarquer Louise et son étrange « famille », il ne cache pas son mécontentement. Non seulement la mère du dauphin traîne derrière elle les maîtresses et les bâtards de son défunt mari, mais encore il y a l'amant-chambellan, dont la présence est difficilement compatible avec la respectabilité de la mère du futur roi. Jean de Saint-Gelais est donc prié de vider les lieux.

Une autre déconvenue, plus grave, attend Louise de Savoie. Se résolvant mal à devoir laisser son trône à un enfant qui est pour lui un inconnu et, surtout, las d'une épouse qu'on lui a imposée, Louis, arguant de la stérilité de sa femme, la répudie et décide de convoler... avec la veuve de son prédécesseur, la duchesse Anne de Bretagne. Ainsi la dot de celle-ci, la belle province bretonne, restera-t-elle dans la famille royale.

Pour Louise, le coup est rude et met ses espérances en berne. La nouvelle reine est jeune, il y a tout lieu de penser qu'elle donnera à son époux une nombreuse progéniture. À partir de cet instant commencent pour la mère de « César » de longues années d'épreuves. Vivant auprès de la nouvelle reine, elle observe chaque jour sa silhouette, guettant le moindre embonpoint annonciateur d'une grossesse fatale. Et des grossesses, Anne ne va pas s'en priver : huit exactement, dont chacune plongera Louise dans l'effroi et qui finiront par conduire Anne au tombeau. La première alerte se produit dès le mois d'octobre 1499. Heureusement, c'est une fille qu'Anne met au monde, Claude, qui sera dans quelques années la propre épouse de François... Et les maternités se succèdent. À chaque fois, Anne espère donner le jour au fils qui enverra aux oubliettes les espoirs de Louise, mais à chaque fois c'est une fille ou un enfant mort-né qui se présente. Pour les deux femmes se développe une sorte de compétition – l'une espérant un garçon, l'autre priant le ciel qu'il n'en soit rien – qui tisse les liens d'une haine mortelle. À Amboise, où elle réside maintenant avec son fils, Louise attend dans l'angoisse chacune des naissances, et quand une nouvelle funeste lui parvient, elle ne peut dissimuler sa joie, comme en témoigne son journal intime : « Anne, reine de France, à Blois, le jour de la

13

Sainte-Agnès, écrit-elle, eut un fils, mais il ne pouvait retarder l'exaltation de mon César, car il avait faute de vie. »

À mesure que le temps passe, Anne désespère de jamais procréer un héritier pour le trône tandis que Louise est maintenant convaincue que la Providence divine est du côté de son rejeton. À la cour, elle a bien du mal à cacher les sentiments euphoriques qui l'animent, et cette attitude exacerbe encore davantage la rancune d'Anne.

Cependant, insouciant du conflit qu'il provoque, François grandit et devient un garçon vigoureux et surtout séduisant. Pour en avoir la preuve, il lui suffit de constater de quel œil admiratif le considèrent les filles qu'il croise sur sa route. Les exercices physiques qu'il pratique à outrance ont développé son corps, tandis que l'étude à laquelle le soumet sa mère a fait de même avec son esprit. En même temps se précise en lui ce goût de l'aventure qui parfois lui fait courir les pires dangers. Et la pauvre Louise de trembler et de confier ses craintes à son journal :

« Le 25 janvier 1501, mon roi, mon seigneur, mon César et mon fils, auprès d'Amboise, fut emporté au travers des champs par une haquenée et fut le danger si grand que ceux qui étaient présents l'estimèrent irréparable. Toutefois, Dieu, protecteur des femmes veuves et défenseur des orphelins, prévoyant les choses futures, ne me voulut abandonner, connaissant que, s'il m'eût soudainement privée de mon amour, j'eusse été trop infortunée... »

Louise n'est pourtant pas au bout de ses peines. Son souhait intime est que François épouse Claude, la fille qu'Anne a donnée à Louis XII. De ce mariage, Anne ne veut à aucun prix. Elle a reporté sur le jeune garçon la haine et la jalousie que Louise lui inspire et va donc favoriser les fiançailles de Claude, qui n'a encore que deux ans, avec l'archiduc Charles de Luxembourg, le futur Charles Quint, lui aussi un enfant. Pour que ce mariage soit conclu, Anne n'hésite pas à mettre dans la corbeille de noces de la petite Claude la Bretagne, qui se trouverait ainsi séparée de la France pour toujours. Si, sur le moment, Louis XII est favorable à cette union, c'est qu'il veut avoir les mains libres du côté de l'Italie, notamment sur le duché de Milan, qu'il revendique comme l'héritage de sa grand-mère, Valentine Visconti, duchesse d'Orléans. Le mirage italien occupera ainsi les ambitions françaises pendant trois quarts de siècle et se révélera finalement un fiasco. En attendant, Louis XII mène plusieurs expéditions au-delà des Alpes, chacune d'elles compromettant un peu plus une santé déjà défaillante. En 1504, se trouvant alors à Lyon, Louis est au plus mal et, se croyant perdu, ordonne qu'on le transporte à Blois, où il souhaite mourir. Mais il « ressuscite » comme par miracle. L'année suivante, nouvelle alerte, le roi reçoit l'extrême-onction et fait appeler François auprès de lui. Au seuil de la mort, il désire que son héritier épouse sa fille Claude et que la promesse de mariage avec Charles de Luxembourg soit déchirée.

Louise exulte. Cette fois, c'est sûr, dans quelques jours, son César sera roi de France ! Mais un nouveau miracle se produit : la mort, qui croyait déjà tenir sa proie, la lâche et Louis XII renaît de ses cendres... Louise doit remiser son impatience. Toutefois, le roi persiste dans son idée de donner finalement Claude en mariage au dauphin, ce qui ne va pas sans difficulté avec Anne. Mais Louis a finalement le dernier mot et le 21 mai 1506, au château du Plessis, les deux enfants royaux sont officiellement fiancés. François a douze ans et Claude six, ce qui ne l'empêche pas de regarder déjà son futur époux avec les yeux d'une amoureuse.

Comme on le voit, autour du jeune prince, c'est un concert quasi unanime d'attendrissement. Sa sœur aînée, Marguerite, n'est pas la moins enthousiaste de ses zélateurs. Comme Louise, leur mère, elle va se vouer à ce frère prestigieux et le servir dans toutes les circonstances de son destin. Ce sentiment aussi ardent et aussi constant donnera même naissance à une rumeur selon laquelle l'amour de Marguerite aurait été davantage qu'un amour fraternel. À l'appui de cette supposition, M. Genin, l'éminent analyste de la correspondance de la princesse, cite une lettre d'elle à son frère dont un passage peut en effet prêter à équivoque. Qu'on en juge :

« ... Vous requérant pour fin de mes malheurs et commencement de bonne année, sinon qu'il vous plaise que je vous sois quelque petit de ce que infiniment vous m'êtes et serez sans cesse dans la pensée. »

Quelle qu'ait été la nature des sentiments de Marguerite, il est en tout cas certain que, de son côté, François n'a pas partagé ce genre d'émoi. Comment d'ailleurs en aurait-il eu le temps, cet infatigable coureur de jupons, ce séducteur-né, sollicité par de nombreuses « postulantes » à peine sorti de l'enfance ? Il n'a que l'embarras des désirs, et Marguerite elle-même, qui est sa confidente, nous rapporte qu'âgé de quinze ans, alors qu'il réside à Amboise, il remarque une jeune fille brune de seize ans, et voilà que « lui qui jamais encore n'avait aimé, sentit en son cœur un plaisir non accoutumé ».

La jeune personne, qui répond au prénom de Françoise, est lingère au château. Malgré ses origines modestes, elle sait lire et écrire, ce qui à cette époque est exceptionnel dans son milieu. Tout feu tout flammes, le dauphin se déclare avec un empressement qui effraie la jeune fille. Elle est certes flattée, elle aussi est amoureuse, mais elle est consciente de sa condition. Et, surtout, elle est accrochée à sa vertu comme à une bouée de sauvetage.

— Dieu ne m'a pas faite princesse pour vous épouser, ni d'état pour être tenue à maîtresse et amie, déclare-t-elle à François, et comme celui-ci proteste de la pureté de ses sentiments, elle ajoute :

— Moi aussi je vous aime, mais mon honneur m'est plus cher que ma vie, et puisqu'amour ne peut me faire céder, toutes les autres promesses n'y pourront rien.

Voilà qui ne fait pas l'affaire de François, et il n'est pas le seul à déplorer l'obstination de la jeune fille. La famille de celle-ci, sa sœur et son beau-frère, se lamente : Françoise a séduit l'héritier du trône de France et elle refuse de couronner sa flamme ! N'est-ce pas un crime de laisser passer une chance pareille ? Elle devrait penser un peu plus à sa famille et un peu moins à son honneur... La sœur de Françoise et son mari mettent tout en œuvre pour faire cesser cette fâcheuse obstination, mais la jeune fille tient bon et François finit par renoncer.

Ce genre d'échec constitue une exception dans la carrière amoureuse du prince, qui va multiplier les conquêtes. Certes, il sait qu'en vertu de la raison d'État il doit épouser un jour prochain sa cousine Claude, mais cette perspective ne saurait ralentir sa soif d'aventures. Il ne confond pas ses obligations de futur roi avec son goût des plaisirs, si l'on en croit les confidences faites à sa sœur Marguerite :

— Il y va du règlement de l'affaire de Bretagne, voire des intérêts généraux du royaume, lui explique-t-il. J'estime certes cette fille de roi, mais je ne pourrai jamais l'aimer. Rien en sa personne ne me séduit. Mais qu'importe ! Je la veux, cette enfant. Question d'État ! Pour l'amour, il est d'autres prés où, sans presque me baisser, j'aurai tout plaisir de cueillir à foison les plus capiteuses corolles. Et je continuerai tant qu'il me plaira d'effeuiller chaque soir les roses du plaisir...

Un serment qu'il tiendra, à défaut de tenir celui de la fidélité conjugale. Le temps des amours platoniques est révolu. Lors de ses séjours à Paris, le duc – il porte en effet maintenant le titre de duc de Savoie – n'hésite pas à courir les rues de la ville en quête de bonnes fortunes, qu'il cueille sur son passage. L'une d'elles mérite d'être contée tant elle est à la fois cocasse et significative des « méthodes » amoureuses du futur souverain. Mais demandons à Marguerite de nous en rappeler les prémices :

« Notre prince rencontra la femme d'un avocat, le plus riche de tous les gens de robe, très belle de visage et de teint et encore plus de taille et d'embonpoint. Ce prince voyant cette jeune et belle dame, de laquelle œils et contenance le convièrent à l'aimer, veut parler à elle. Elle lui avoue l'aimer en secret. »

C'est ainsi que débute une liaison des plus agréables entre François et Jeanne Le Coq, épouse de l'avocat Jacques Dishommes. Mme Dishommes, qui n'a pas volé son nom, eu égard à son appétit, est très éprise du jeune homme au point qu'elle va se livrer aux pires imprudences pour satisfaire les désirs de son amoureux. Celui-ci se comporte déjà dans le domaine de la galanterie comme il se comportera à la guerre : il n'hésite pas à monter à l'assaut. Que le lecteur en juge : un soir, François se présente au domicile de la belle. Comme il se doit, il est accueilli par Me Dishommes, très flatté par cette visite princière. François met l'avocat au comble de la fierté en lui déclarant qu'il a entendu le plus grand bien de ses qualités et qu'il vient lui demander conseil. Dishommes, aux anges, appelle sa femme afin de la présenter au prince. La jeune femme joue le jeu et, profitant que son mari prépare des boissons pour leur hôte, elle recommande à ce dernier, lorsqu'il prendra congé, de faire seulement mine de sortir et de l'attendre dans un appentis qui se trouve dans la cour, où elle viendra ensuite le rejoindre...

Comme l'avocat souhaite accompagner son visiteur jusqu'au portail, François l'arrête : il entend que leur rendez-vous d'affaires demeure secret, il ne faut pas risquer qu'on les surprenne ensemble. Dishommes mord à l'hameçon et le prince, sans perdre un instant, pénètre dans l'appentis. Laissons Marguerite nous décrire la scène :

« Il entra dans la garde-robe où la belle vint le trouver quand son mari fut endormi. Elle le mena dans un cabinet aussi propre qu'il pouvait être ; quoiqu'au fond il n'y eût rien de plus beau que lui et elle. Je ne doute pas qu'elle lui ait tenu tout ce qu'elle lui avait promis. »

On ne saurait être plus précis, et comme Marguerite tient son récit de la bouche même de son frère, on ne peut le mettre en doute. Il faut croire que François a été satisfait de son « entrevue » avec la belle Jeanne Dishommes, car il brûle de la renouveler. Mais il ne peut pas recommencer le « coup » du rendez-vous d'affaires. Il cherche donc un nouveau stratagème et, comme l'amour donne des ailes à l'imagination, il le trouve. Mitoyen avec la demeure de l'avocat se dresse un couvent de religieux. Vers minuit, François se présente au frère portier et lui annonce qu'il souhaite se rendre à la chapelle du couvent afin d'y prier. Malgré l'heure tardive, le brave religieux ne paraît pas s'étonner de cet accès de piété bien nocturne et conduit son visiteur jusqu'à la chapelle. Une fois seul, François franchit le mur qui le sépare de la demeure de Me Dishommes... et rejoint Jeanne, qui de son côté a quitté la couche conjugale, son mari ayant décidément le sommeil profond. Après avoir passé la nuit auprès de la belle, François, au petit matin, repasse le mur et se retrouve dans la chapelle, auprès du moine qui admire la « piété d'un prince qui a prié Dieu une grande partie de la nuit ». Il aura d'autres occasions d'apprécier la ferveur religieuse de l'héritier du trône de France, car François utilisera souvent le chemin de la chapelle pour aller retrouver la dame de ses pensées, démontrant ainsi que les voies du Seigneur ne sont pas aussi impénétrables qu'on le dit...

La préférence que François témoigne à Jeanne Dishommes ne l'empêche pas de courir le guilledou sous d'autres ombrages. On a vu que son aventure avec elle ne manquait pas de piquant, celle qu'il aura avec la baronne de Plessis n'a rien à lui envier. Cette jeune personne, qui répond au doux prénom d'Athénaïs, a été mariée dès l'âge de seize ans à un gentilhomme qui en a cinquante-trois, presque un vieillard à cette époque. Bien entendu, ses parents ne lui ont pas demandé son avis avant de la jeter dans le lit du vieux barbon, pratique matrimoniale alors courante. Athénaïs, bien sagement, a accepté de jouer les Iphigénies, mais elle ne manque pas de rouerie ni de volonté. Après quelques semaines de mariage, elle trompe déjà son époux – avec le propre majordome de ce dernier, ce qui s'appelle un adultère de proximité... Lors d'un bal à la Maison des échevins, dont le roi François Ier fera un jour l'Hôtel de Ville, le prince apparaît incognito, le visage masqué, mais sa prestance, ses manières assurées pour inviter la baronne de Plessis à entrer dans la danse impressionnent vivement la jeune femme. Ils ne se quittent guère de la soirée, et Athénaïs ne fait pas de difficulté pour suivre son cavalier dans quelque pièce à l'écart. Même si cet aparté ne dure pas longtemps, il suffit pour que les deux partenaires se montrent satisfaits l'un de l'autre puisqu'ils conviennent de se retrouver au plus vite. Le baron de Plessis accompagnait sa femme au bal ; assis dans un fauteuil, il n'a pas tardé à s'assoupir. Mais il n'est pas seul à escorter son épouse. Il y a aussi une sorte de duègne, qui a vu d'un œil réprobateur son manège avec François. Il s'agit d'une parente que la famille d'Athénaïs a placée auprès d'elle, se méfiant à juste titre des caprices de la jeune femme. Cette dernière ne peut faire un pas hors de l'hôtel de Plessis sans être suivie de cet encombrant cerbère. Heureusement, François a plus d'un tour dans son sac, et quand il est « sur le sentier de la guerre », c'est-à-dire lorsqu'il convoite la vertu d'une jolie créature, il sent pousser des ailes à son imagination. Pour mettre à exécution la ruse qu'il a inventée, il lui faut l'aide de son ami Bonnivet. Celui-ci fait grise mine quand il apprend la mission qui lui est confiée, mais il ne peut rien refuser à François ; il sera d'ailleurs largement récompensé de ses complaisances lorsque son seigneur sera monté sur le trône.

Qu'a donc imaginé le prince pour qu'Athénaïs puisse échapper à sa parente ? Tout simplement ceci : Bonnivet va faire la conquête de la vieille femme. Ainsi, occupée de ses propres amours, celle-ci ne cherchera pas à se mêler de celles de sa pupille. L'entreprise, outre qu'elle n'a rien de réjouissant, paraît bien hasardeuse à Bonnivet : pour qu'elle soit demeurée vieille fille, la vertu de la cousine d'Athénaïs doit être solidement accrochée... Pourtant, François connaît bien l'éternel féminin, la dame mordra à l'hameçon et la petite baronne de Plessis aura tout loisir de s'abandonner au plaisir auprès du prince. Ce qu'on ne sait pas, toutefois, c'est jusqu'où le pauvre Bonnivet aura dû pousser le « sacrifice ».

Voilà donc conclue une aventure de plus pour François. Il n'a aucun mal à les collectionner.

À dix-huit ans, il est déjà considéré comme le « plus bel homme du royaume ». Le portrait qu'André Castelot brosse de lui dans l'excellente biographie qu'il lui a consacrée confirme cette réputation :

« À l'âge de dix-huit ans, il dévore la vie à belles dents. Ses lèvres de fauve, ses yeux paillards attirent les regards de toutes les filles. Il est glorieux et triomphant. Son poignet peut soulever les plus lourdes épées. Large torse, larges épaules musclées, un corps taillé pour la guerre... et pour l'amour... »

Dans une autre biographie du roi, Emmanuel Bourrassin abonde dans le même sens quand il écrit :

« Il plaisait et il en imposait royalement. Ses yeux étaient légèrement bridés, mais sa bouche était le plus souvent souriante, ses lèvres gourmandes et sensuelles, ses cheveux bruns et abondants. Son corps, développé par tous les "desports", était harmonieux et bien membré. »

Comment un tel homme ne ferait-il pas des ravages sur son passage, et comment résisterait-il aux tentations qui s'offrent à lui ? En fait, il y résiste bien peu, et cette boulimie de plaisirs va lui coûter cher. On sait que François Ier contractera dans sa jeunesse la syphilis, qu'on nommait alors pudiquement le « mal de Naples » car ce « souvenir » aurait été rapporté en France par des soldats ayant occupé cette ville. Quelle qu'ait été la voie d'introduction de ce fléau dans notre pays, il finira par compromettre la santé du roi. Quant aux circonstances dans lesquelles il a attrapé ce mal, on ne possède aucune certitude à leur sujet. Cependant, d'après la rumeur, elles ne sont pas banales. À peu près à l'époque où François fréquente l'épouse de Me Dishommes, il fait la connaissance de la femme d'un autre avocat. Décidément, le jeune homme semble nourrir une prédilection pour planter des cornes aux gens de robe... La nouvelle venue est une dame Le Ferron, ce qui lui vaudra de passer à la postérité sous le surnom de la « Belle Ferronnière ». Elle ne fait pas trop de manières pour accorder ses faveurs au prince, ce qui n'est pas du goût de son mari. Celui-ci, en effet, a surpris les amants et sa déconvenue lui a suggéré une vengeance diabolique, bien dans les mœurs du temps. Il se met en quête de découvrir une prostituée atteinte du « mal de Naples », ce qui ne lui demande pas de trop longues recherches, tant il est alors répandu dans cette « corporation ». Ce que l'avocat souhaite se produit : il est rapidement contaminé. Après quoi, il ne lui reste plus qu'à offrir à son épouse ce redoutable présent, avec l'espoir qu'à son tour elle en fera « bénéficier » son amant princier. Ainsi, si l'on en croit la fameuse rumeur, le scénario se serait déroulé selon les prévisions de Jean Le Ferron.

Encore une fois, aucune preuve absolue ne vient étayer cette version. En tout cas, même s'il constate son mal, François n'y prend pas garde et ne ralentit pas son activité amoureuse, pas plus que ses premiers faits d'armes. En effet, sous le commandement du fameux La Palice, il guerroie quelque temps contre les Espagnols en Navarre, puis contre les Anglais en Picardie. Il ne s'agit encore pour lui que d'une sorte de répétition, mais elle suffit à lui donner le goût des combats et à lui démontrer ses dispositions pour l'art de la guerre.

En même temps, ce jeune homme, dont l'activité ne ralentit jamais, témoigne de l'universalité de ses talents dans d'autres domaines, notamment celui de la pensée. François cultive son esprit, comme il cultive son corps ; cette disposition aura les effets les plus heureux sur le patrimoine artistique et culturel de la France.

Pendant que l'héritier du trône forme ainsi sa personnalité et se prépare – parfois d'étrange façon – à son futur métier de roi, Louis XII, lui, poursuit le rêve italien, un rêve qui débute sous les meilleurs auspices puisque, en moins de trois semaines, il a conquis le Milanais et sa capitale, mais qui s'achève par un fiasco : l'Italie est perdue presque aussi vite qu'elle a été gagnée, ce qui affecte Louis à tel point que son état donne de nouveaux signes de défaillance. L'infortuné souverain n'est pas au bout de ses malheurs. Au mois de janvier 1514, Anne de Bretagne, l'épouse qu'il aime tendrement, meurt. Ses huit grossesses successives ont eu raison de sa résistance... Huit grossesses aussi périlleuses qu'inutiles : aucune n'a apporté le fils tant espéré, le dauphin dont la présence aurait écarté du trône ce François d'Angoulême, si fort, si grand, si éclatant de santé, alors qu'autour de lui les autres membres de la famille royale sont menacés, ce François d'Angoulême qu'Anne déteste comme elle déteste sa mère. Et voici que par un caprice du destin non seulement Anne n'a pu priver François de la couronne, mais encore c'est à lui qu'elle va devoir livrer sa fille Claude et abandonner son beau duché de Bretagne. À présent, les regrets sont superflus. En bonne chrétienne, Anne se doit de pardonner à ses ennemis, ce qu'elle fait en confiant l'éducation de sa fille à Louise de Savoie. Quel triomphe pour cette dernière ! Plus aucun obstacle ne se dresse devant son César sur la route du pouvoir.

Quant au monarque en titre, il est évident qu'il ne survivra guère à la disparition de sa femme. Le chagrin qu'il manifeste fait peine à voir : « Faites un caveau assez grand pour elle et pour moi, recommande-t-il à son entourage. Devant que l'an soit passé, je serai avec elle et je lui tiendrai compagnie. »

Et d'aller s'enfermer dans ses appartements, refusant de voir quiconque.

Bien qu'il dissimule sa satisfaction sous ses vêtements de deuil, tout comme sa mère, François est heureux. Il est impatient à présent de recueillir cette couronne qui semble devoir bientôt choir de la tête du roi. Afin de s'y préparer, il doit commencer par épouser cette brave petite Claude, pour laquelle il ne se sent aucun penchant. Comment pourrait-il en être autrement ? La nature ne l'a pas gâtée, cette toute jeune princesse : petite, assez mal faite à cause de son embonpoint, boitant légèrement, elle n'a évidemment rien pour séduire cet amateur de beauté qu'est François. Il est vrai que Claude compense en partie ses imperfections physiques par une grande qualité d'âme. La douceur de sa voix, la bonté de son regard lui valent l'adoration de son entourage. Comme l'écrit à son propos la *Chronique d'Anjou*, « elle est un vrai miroir de pudicité, de sainteté et d'innocence ».

La cérémonie se déroule dans une atmosphère de deuil, lourde et oppressante. Louis XII a exigé que tous les assistants fussent vêtus de noir, couleur insolite peu susceptible de susciter un climat de joie lors d'un mariage. François porte une robe de damas noir bordée de velours assorti, la petite Claude est habillée de même, ainsi que les quelques personnes présentes. Tous arborent des mines de circonstance, mais Claude, en dépit du chagrin réel qu'elle ressent, ne peut s'empêcher de considérer d'un œil ébloui le superbe époux que la politique lui offre. Sans doute ne se fait-elle pas trop d'illusions sur les sentiments de son compagnon : elle a conscience de ses propres imperfections et elle se doute que ce beau garçon ira chercher des compensations ailleurs, mais elle est prête à tous les sacrifices pour avoir le bonheur de vivre auprès de lui. Quant à François, lorsqu'il considère celle qu'il devra « honorer », il doit se dire que la couronne royale, après tout, mérite bien quelques sacrifices...

Durant la cérémonie, Louis XII, encore tout à sa peine, ne peut retenir ses larmes, et sitôt les formalités terminées, après avoir expédié le dîner de mariage, il part pour la chasse. Quelles pensées doit-il rouler dans sa tête tandis qu'il galope à la poursuite d'un hypothétique chevreuil ? L'idée de laisser sous peu son trône à ce jeune godelureau plein de santé, au fils de cette intrigante de Louise, ne le ravit guère. À juste raison, il suppose que Mme de Savoie et son César attendent avec impatience sa disparition, comme ils ont dû saluer avec bonheur celle de la reine Anne... Ce sentiment ne cesse d'obséder Louis XII et va l'amener à prendre bientôt une décision pour le moins inattendue.

Ce qui exacerbe davantage ses préventions contre François d'Angoulême, c'est qu'au lendemain même de son mariage avec Claude, s'estimant à présent l'incontestable héritier du royaume, celui-ci se lance dans de folles dépenses. Rien n'est assez beau pour parer comme il convient un prince aussi séduisant : « Pourpoint de drap d'or, cheveux enserrés dans un filet d'or, éperons d'or, habits de soie d'argent brodés de diamants, zibeline, parfums, bagues... » Le futur roi est un client rêvé pour les marchands italiens qui le sollicitent, auxquels il achète tout ce qu'ils lui proposent, pourvu que ce soit cher et clinquant.

Pour Louis XII, qui a toujours été près de ses écus, cette prodigalité est inadmissible. « Ce gros garçon gâtera tout », ne cesse-t-il de répéter. Peu à peu, cette certitude fait son chemin. Comment pourrait-il priver ce gendre prodigue de son héritage ? Une seule solution existe : avoir un enfant mâle, cet enfant mâle qu'Anne de Bretagne n'a jamais pu lui donner... À première vue, l'idée semble insensée. Comment cet homme de cinquante-deux ans, qui en paraît soixante-dix et se sait proche de la mort, serait-il en état de procréer ? Et surtout avec qui ?

C'est alors que la politique va se mêler de l'affaire et rendre possible ce qui, à l'origine, ressemblait à une chimère plutôt cocasse. Depuis près d'un quart de siècle, l'Europe est un champ de bataille, la France, l'Autriche, l'Espagne, l'Angleterre se disputant l'hégémonie sur le Vieux Continent sans qu'aucune décision définitive ne soit intervenue. Par un effet de balancier, le pape soutient tantôt les uns, tantôt les autres, uniquement préoccupé par la survie de ses États. Et voici qu'un nouveau souverain pontife, Léon X, est élu alors que l'Allemagne et l'Espagne louchent du côté de son domaine temporel avec des yeux gourmands. Pour empêcher la réalisation de ce sombre dessein, le pape doit très vite trouver un contrepoids, c'est-à-dire éloigner Henri VIII d'Angleterre de ses alliés, l'empereur d'Allemagne Maximilien et le roi d'Aragon Ferdinand, en s'efforçant de rapprocher l'Angleterre de la France. Les frasques conjugales d'Henri VIII ne l'ont pas encore séparé de l'Église catholique romaine, et la perspective d'offrir son alliance à Louis XII contre une forte somme a de quoi séduire un personnage qui pour de l'or est capable de tout, même d'une bonne action. De son côté, Louis XII est fatigué de guerroyer en vain et apprécierait sans aucun doute un rapprochement avec son voisin du Nord. Un autre personnage qui ne résiste pas à l'attrait de l'or est le cardinal Wolsey, légat du pape et homme de confiance d'Henri VIII, une confiance acquise non pas en raison de ses hautes fonctions spirituelles, mais surtout parce que ce curieux prélat est également... danseur, mime, musicien et prestidigitateur, qualités qu'Henri VIII apprécie au plus haut point. L'Anglais se laisse donc circonvenir et il se dit que comme il a une sœur de seize ans, Marie, jolie comme un cœur, en la donnant en mariage au roi de France il jettera par-dessus la Manche la plus charmante des passerelles. Quant à Louis XII, l'idée d'épouser une donzelle de trente-six ans sa cadette n'a rien de rebutant. D'autant que Marie engendrera peut-être ce fils qu'Anne de Bretagne n'a pas pu lui offrir. Ainsi, François d'Angoulême et sa vorace maman seront bien attrapés. Du coup, le veuf inconsolable oublie son chagrin et attend de pied ferme la blanche colombe qu'on lui promet.

2

Le roi est mort, vive le roi !

Elle est bien jolie, la jeune Marie Tudor, tandis qu'elle monte une haquenée caparaçonnée d'or en direction d'Abbeville, où elle doit rencontrer le seigneur et maître auquel la politique la livre. La perspective n'a pas l'air de trop l'effrayer si l'on en juge par le sourire qui illumine son ravissant visage, et l'on comprend qu'elle soulève l'admiration de tous... Regardons-la d'un peu plus près : ces yeux d'un bleu de faïence, cette chevelure d'or, à rendre jaloux un champ de blé, cette bouche bien ourlée qui semble appeler le baiser, son teint de pêche légèrement rosé, on dirait un portrait composé par quelque peintre céleste... Oui, elle est bien jolie, sous son béret de velours noir, dans l'éclat de ses seize printemps... Ce jeune gentilhomme barbu qui chevauche contre son étrier, comme s'il voulait la soustraire aux regards, c'est le duc de Suffolk. Duc de fraîche date : il y a peu, il s'appelait encore Charles Brandon et sortait d'une famille des plus modestes. Aujourd'hui, il est ambassadeur d'Angleterre – officiellement. Officieusement, il est surtout l'amant de la jeune princesse. Leur liaison dure depuis deux ans, ce qui veut dire que dès l'âge de quatorze ans la jolie Marie avait déjà une vie amoureuse bien remplie ; admirable précocité !

Henri VIII est au courant de la liaison de sa sœur et semble n'y voir aucun inconvénient. Dans le domaine de la bagatelle, lui-même n'a rien à envier à personne, la suite de son existence amoureuse en fournira une démonstration éloquente. Il n'a pas non plus fait de difficulté pour offrir la jeune princesse à un mari qui pourrait être son grand-père dès lors que son intérêt était en jeu. Le mariage par procuration a eu lieu quelques jours plus tôt à Londres. C'est donc la reine de France qu'accompagne une nuée de seigneurs anglais, quelque deux cents archers à cheval et à pied et autant de musiciens, troubadours et trompettes. Ils ne sont pas les seuls à escorter Marie, il y a aussi un garçon de vingt ans qui domine les autres cavaliers de sa haute taille : l'héritier du trône de France. C'est en tant que tel que Louis XII l'a chargé d'aller accueillir cette épouse qui, précisément, risque d'ôter la couronne de la tête du prétendant.

Quand Louise de Savoie et son fils ont appris le prochain remariage de Louis XII, ils ont d'abord cru à une plaisanterie d'un goût douteux, mais ils ont bien dû se rendre à l'évidence : le trône sur lequel François allait s'asseoir se dérobait soudain. Auprès de cette jeune sirène de seize ans, il était fort possible que le vieux roi retrouve des forces et procrée enfin ce fils qu'il avait espéré en vain durant ses quinze années d'union avec Anne de Bretagne. Oui, à la pensée que son César risque d'être lésé à l'ultime instant par l'irruption d'une intruse, Louise de Savoie étouffe de rage. Mais que peut-elle faire, sinon feindre l'affabilité vis-à-vis de la nouvelle venue en espérant qu'elle ne parvienne pas à ranimer la flamme de son vieil époux ?

François, bien entendu, partage les sentiments de sa mère. Quand Louis lui a confié la mission de recevoir en son nom la jeune épousée, il a fait grise mine, mais dès qu'il l'a vue son attitude s'est transformée du tout au tout. Il est tellement attiré par sa beauté qu'il ne peut détacher ses yeux de la gracieuse silhouette. Marie est déjà trop expérimentée pour ne pas s'apercevoir de l'impression produite sur le jeune homme. Elle n'est pas non plus insensible au physique de ce parent qui lui tombe du ciel. Avec un sourire ironique, elle l'appelle « Monsieur mon beau-fils », mais François, lui, n'a nulle envie de la traiter en mère.

Quant à Louis XII, lorsqu'il rencontre la tendre biche qu'on lui livre à domicile, il est ébloui. Comme par miracle, on dirait qu'il récupère un peu de sa jeunesse. Le soir même, nous apprend un chroniqueur, « le roi et la reine se couchèrent et, le lendemain, le roi disait qu'il avait fait merveille ». « Suis tout vaillant », déclare-t-il à tout un chacun, prenant l'assistance à témoin de sa félicité. En revanche, la chronique du temps ne nous rapporte aucune déclaration de l'épouse. Sans doute devait-elle penser qu'à ce rythme son épreuve conjugale ne durerait pas trop longtemps...

En attendant cette issue prévisible, Louise et François surveillent de près les faits et gestes de la reine avec une angoisse grandissante. En effet, un autre danger les menace : même si Louis XII, malgré ses louables efforts, ne parvient pas à donner un héritier à Marie, étant donné l'appétit de la jeune femme, un autre pourrait s'en charger... À commencer par Suffolk, le colosse barbu qui ne la quitte pas d'une semelle. Cette attitude lui est certes dictée par les sentiments qu'il éprouve pour elle, mais peut-être obéit-il à une consigne secrète d'Henri VIII : s'il faisait un enfant à la reine, dont Louis XII assumerait évidemment la paternité, c'est un roi « anglais » qui régnerait un jour sur la France ! La subtilité d'un tel calcul n'échappe pas à Louise de Savoie. Selon son habitude, elle va prendre le taureau par les cornes. Allant trouver Suffolk, elle lui démontre que, si la reine donne un héritier au trône, elle sera bien obligée de demeurer en France, c'est-à-dire séparée de lui. Cet argument, joint il est vrai à un don de cinquante mille livres, suffit à convaincre Suffolk d'éviter tout risque. Il aime sincèrement la jeune femme et il entend la « récupérer » lorsqu'elle sera veuve. Pour occuper ses « loisirs », on le loge chez la belle Jeanne Dishommes, la propre maîtresse de François, qui se charge de le consoler. Décidément, cette dame a le cœur sur la main...

Louise respire. Pas pour longtemps. Cette fois, le péril vient de François lui-même, ce qui est paradoxal. Sous prétexte de surveiller les agissements de Suffolk, il ne quitte plus Marie, et ce qui devait arriver se produit : le dauphin tombe éperdument amoureux de sa jolie « belle-mère ». Celle-ci, qui ne doit pas trouver chez son vieil époux de quoi satisfaire les exigences de son tempérament, est troublée par les assiduités de son séduisant « beau-fils ». Suffolk étant hors jeu, elle a tout loisir de se consacrer à François. Étant donné les natures ardentes des deux jeunes gens, la conclusion est facile à tirer. C'est là que l'affaire tourne au vaudeville : en cas d'« accident », le propre enfant de François lui chiperait son trône et se substituerait à lui pour régner sur la France... Situation cocasse, mais que Louise de Savoie n'apprécie pas, d'autant que Marie multiplie maintenant les gestes de coquetterie vis-à-vis de « César ». Chaque fois qu'elle le retrouve, ce sont aussitôt « mignardises et caresses », nous dit Brantôme, et aussi embrassades, non point sur les joues ou le front, mais « baisers d'amants ». Et François, insouciant du péril qu'il suspend lui-même au-dessus de sa tête, poursuit ses assauts, impatient de savourer sa victoire. Désespérée, Louise de Savoie dépêche auprès de son fils Jean de Grignols un de ses fidèles, avec mission de lui faire la morale. Brantôme a rapporté le sermon que Grignols assène au prince ce jour-là :

« Comment, Pâques-Dieu, s'écrie le gentilhomme tout courroucé en s'adressant à François, qu'allez-vous faire ? Ne voyez-vous pas que cette femme, qui est fine, veut vous attirer à elle afin que vous l'engrossiez ? Et si elle vient à avoir un fils, vous voilà encore simple comte d'Angoulême et jamais roi de France, comme vous l'espérez. Le roi, son mari, est trop vieux et ne peut lui faire d'enfant. Vous l'irez toucher et vous vous approcherez si bien d'elle que vous, qui êtes jeune et chaud, elle de même, Pâques-Dieu ! Elle prendra comme à glu : elle fera un enfant et vous voilà bien ! Après vous pourrez dire : "Adieu, ma part de royaume de France !" Songez-y... »

François est assez intelligent pour comprendre le bien-fondé de cette mise en garde mais, quand il est amoureux, rien ne saurait l'arrêter. Il le démontrera par la suite en diverses occasions. De surcroît, Marie, malgré son jeune âge, connaît les faiblesses d'un homme épris. Elle sait comment s'y prendre pour achever de tourner la tête de ce garçon et elle est bien décidée à arriver à ses fins.

Atterrée, Louise de Savoie essaie de retenir son fils sur la pente fatale. Elle lui fait considérer les efforts accomplis, les sacrifices consentis pour faire de lui un dauphin de France... Les espoirs qu'elle a nourris vont-ils s'effondrer à la veille de la réussite, et cela de la propre faute de François ? Va-t-il, par son inconséquence, ruiner une politique qu'elle a menée depuis qu'il est au monde ? Mais François, tout occupé de son désir, repousse prières et conseils. Comme l'écrit Brantôme : « Tenté et retenté des caresses de cette dame anglaise, il s'y précipite plus que jamais. »

Ne sachant plus à quel saint se vouer, Louise demande alors à Claude, sa timide belle-fille, de raisonner son fils. Ainsi, la jeune femme va supplier son mari de ne pas planter de cornes à son père ! Aucun auteur de théâtre n'aurait osé imaginer semblable imbroglio.

Claude s'attelle donc à cette tâche délicate et, pour une fois, sort de sa discrétion habituelle :

— Pour mon père, pour moi, supplie-t-elle, pour nous, pour ce fils que nous aurons un jour et qui sera dauphin de France, François, vous ne comprenez pas que vous allez tout perdre ?

Au fond de lui, François a conscience qu'il travaille contre lui, mais, comme il le déclare à sa mère, il est en train de « se mourir d'amour ». Louise, heureusement, ne manque pas de repartie :

— Cette maladie ne tue que ceux qui doivent mourir dans l'année, réplique-t-elle.

Louise de Savoie n'est pas femme à se résigner. Puisque son fils s'en montre incapable, elle décide de régler l'affaire une fois pour toutes. Entreprise délicate, mais Louise ne manque pas de ressources ; elle va user d'un stratagème des plus ingénieux. Selon l'étiquette, la reine de France ne doit pas dormir seule, Louise a donc l'idée d'introduire dans son lit... Claude en personne ! La princesse est décidément de bonne composition... Elle accepte de veiller sur la vertu de sa belle-mère et rivale, et, quand François pénètre dans les appartements de Marie, il a la surprise de voir sa femme couchée auprès de celle dont il voudrait faire sa maîtresse ! Répétons-le, on est en plein vaudeville !

Pendant ce temps, ignorant de la mascarade qui se déroule autour de lui, dans son château des Tournelles, Louis XII, tout à la joie de posséder une aussi belle épouse, s'efforce de jouer auprès d'elle à l'amant frénétique. Un rôle au-dessus de ses forces. En trois mois de ce régime, il a précipité sa fin. À partir de la mi-décembre 1514, il ne peut même plus quitter son lit. Bonne fille, Marie vient lui tenir compagnie, et Louis, en la contemplant, goûte à son ultime bonheur. Certes, il sait que ses ébats avec elle l'ont tué, que cette superbe créature a joué plus ou moins consciemment les vampires, mais il ne songe pas à le lui reprocher.

Au contraire, il lui est reconnaissant d'avoir illuminé de sa beauté ses derniers instants. Lui qui n'a jamais brillé par la générosité, le voici qui ouvre un petit coffre près de son lit et en extrait des diamants et des émeraudes, qu'il offre à la jeune femme. Alors, un éclair de joie inonde le regard de Marie et le roi oublie soudain ses souffrances...

Chaque jour, Marie, comme les autres membres de son entourage, attend la fin du calvaire du roi, mais dans ce corps décharné la vie est encore solidement accrochée, et chaque jour un nouveau miracle prolonge l'agonisant, au grand soulagement de Marie. Elle a pris goût à son destin de reine et se résout mal à lâcher une couronne qu'elle a gardée si peu de temps. Cet état d'esprit va lui dicter une conduite étrange après la disparition de Louis.

Le 31 décembre, en effet, ce dernier comprend qu'il est arrivé au terme de son existence. Il fait appeler François à son chevet. Le dauphin a bien du mal à cacher le sentiment d'allégresse qui l'anime. Cette fois, c'est la bonne ! Dans quelques heures, il sera enfin roi de France ! Bien qu'à toute extrémité, Louis XII n'est pas dupe de la comédie de l'affliction que lui joue son héritier. Lui faisant signe d'approcher, il murmure à son oreille :

— François, je vous recommande mes sujets...

On ne saura jamais ce qu'il ajoute à cette phrase, qui fait honneur à sa dignité de roi. Sitôt après avoir écouté les ultimes paroles du roi, François s'éloigne. Il n'a nulle envie d'assister au dernier épisode d'une existence dont sa mère et lui attendent la fin depuis des années. C'est donc en la seule compagnie de son confesseur et de deux gentilshommes de sa suite que, vers dix heures du soir, le souverain quitte ce monde. Il en est toujours ainsi, le grand spectacle que donnent les rois leur vie durant s'arrête près de leur lit de mort. Comme pour accompagner l'événement d'un climat qui lui convienne, cette nuit-là, les éléments se déchaînent. Une tempête de neige d'une violence inouïe claque des tourbillons au visage des rares téméraires qui osent se risquer par la ville, tandis que s'élève le chant lugubre du vent.

Ces circonstances atmosphériques n'empêchent pourtant pas les compagnons de plaisir de François, dès qu'ils ont connaissance de la « bonne nouvelle », d'aller la lui communiquer. Fleuranges, l'ami de jeunesse, Bonnivet, son préféré, dont François fera un amiral... bien qu'il n'ait jamais navigué de sa vie, Anne de Montmorency, le futur connétable, et quelques autres seigneurs se précipitent vers l'hôtel de Valois, à franc étrier. François les voit surgir dans sa chambre et les entend crier cette phrase qui résonne pour lui comme les éclats d'une trompette victorieuse :

— Le roi est mort ! Vive le roi François Ier !

Cette exclamation de triomphe n'est-elle pas prématurée ? François n'est pas au bout de ses surprises avec Marie. Celle-ci ne renonce pas de gaieté de cœur à ce trône où elle n'a fait que passer. Marie nous l'a déjà démontré, elle a plus d'un tour dans sa jolie tête. Si d'aventure elle portait en elle un enfant, qu'il ait été conçu par le roi ou par quelque obligeant « suppléant », c'est lui qui serait roi, et François n'aurait plus qu'à renvoyer ses ambitions aux calendes ! Au retour du château des Tournelles, où il est allé fort cérémonieusement saluer la dépouille du roi défunt, François est préoccupé. À présent que l'amour n'obscurcit plus son jugement, il se méfie de Marie. À juste titre : la jeune veuve, loin d'éclaircir la situation, l'embrouille à loisir.

Installée à l'hôtel de Cluny, comme l'exige la coutume quand un souverain disparaît, Marie va laisser planer un doute sur son état. Cette mauvaise langue de Brantôme, à laquelle nous sommes redevables de tant de précieuses indiscrétions, nous fait un récit pittoresque des événements :

« La reine faisait courir le bruit, après la mort du roi, tous les jours qu'elle était grosse ; si bien que ne l'étant point dans le corps, on dit qu'elle s'enflait peu à peu par le dehors avec quelques linges. Mais Mme de Savoie, qui était une fine Savoisyenne, qui savait ce que c'est que de faire des enfants, la fit si bien esclairer et visiter par des médecins et sages-femmes, et par la vue et découverte de ses linges qu'elle faillit en son dessein et ne fut point reine-mère. »

Une fois encore, Louise de Savoie a jeté le poids de son énergie dans la balance, une fois de plus elle a pris le mors aux dents pour défendre la cause de son César. Du coup, voilà cette pauvre Marie bouclée dans une chambre de l'hôtel de Cluny, fenêtres et volets clos, où elle va demeurer quarante jours sous la surveillance étroite de deux matrones. Malgré ce régime d'incarcération, elle s'obstine à ne pas reconnaître les faits, et François, qui piaffe d'impatience, ne peut toujours pas aller à Reims recevoir sa consécration.

Finalement, celui qui n'est encore que François d'Angoulême n'y tient plus et se présente à sa belle-mère. Un chroniqueur du temps nous rapporte la scène :

« M. d'Angoulême, dauphin, qui ne parvient point à croire à cette étonnante grossesse, se présente devant la reine blanche et lui demande s'il pouvait se faire sacrer roi. Sire, je ne connais point d'autres que vous, aurait-elle répondu en lui faisant une profonde révérence. »

Plus aucun obstacle ne se dressant sur sa route, le 25 janvier 1515, à Reims, François obtient la récompense de sa longue attente. Dans le chœur de la cathédrale, au côté de sa fille Marguerite, Louise de Savoie peut être fière d'elle : c'est pour une bonne part grâce à ses efforts obstinés que son César prend rang dans la prestigieuse lignée des rois de France. Seule absente, la nouvelle reine. Claude n'assiste pas au triomphe de son époux pour cause de grossesse. Authentique, celle-ci. Le cérémonial est interminable, prolongé encore par les onctions traditionnelles. À ce propos, André Castelot cite cette remarque d'un chroniqueur du temps, qui ne manque pas de saveur :

« Il est à noter que la dite huile qui est dedans la Sainte Ampoule, bien qu'il y en ait peu, et qu'à chaque sacre d'un roi de France on en prenne un peu, toutefois elle ne diminue point ; ce qui est un grand miracle. »

Le retour sur Paris est tout aussi éclatant. Après un arrêt à Saint-Denis pour la cérémonie de la prise de couronne, le 15 février, François Ier entre dans sa bonne ville, acclamé par la population. *Le Loyal Serviteur* nous en livre un compte rendu enthousiaste :

« Ce fut la plus riche et triomphale entrée qu'on ait jamais vue en France, car de princes, ducs, comtes et gentilshommes en armes, il y en avait de mille à douze cents. »

La proclamation que le monarque adresse à son peuple pour célébrer son avènement témoigne de ses bons sentiments :

— Il a plu à Dieu prendre et appeler à sa part le roi, notre sire et beau-père, et nous laisser son successeur à la couronne, de quoi comme nos bons et loyaux sujets, nous avons bien voulu vous avertir afin que, si durant sa vie vous lui avez été tels que vous deviez, vous veuillez continuer envers nous et au surplus faire guet et garde en votre ville et soyez sûrs que en ce faisant nous vous traiterons en toutes choses, tant en général qu'en particulier, aussi bien ou mieux que avez été le temps passé et par façon que vous aurez cause de vous contenter et si quelque chose vous survient et que vous entendez que puisse toucher le bien de nous et de votre état, vous nous en avertirez en toute diligence, comme faire devez et que nous en avons en vous votre singulière et parfaite fiance. Très chers et bons aimés, notre Seigneur nous ait en sa garde...

À peine ceint de la couronne, François est déjà au paroxysme de la popularité. Par un étrange phénomène, la séduction qui opère sur les femmes opère de la même manière sur les foules, le 15 février en a fourni une démonstration éloquente. À cette liesse générale manquait toutefois une voix, celle de Marie... reine douairière à moins de dix-sept ans. Elle est volontairement demeurée cloîtrée à l'hôtel de Cluny. Elle va y recevoir le lendemain une visite inattendue : celle de François. Que diable vient-il faire auprès de son ex-belle-mère ? En dépit de ce qu'il a affirmé à sa mère, n'est-il pas complètement guéri de son désir pour la jeune femme ? Sans aucun doute éprouve-t-il quelque regret de ne pas avoir cueilli la fleur qui s'offrait à lui. À présent qu'il peut le faire sans risque, il a trouvé une solution... Marie veut-elle l'épouser ? En lui faisant cette proposition, François n'oublie pas qu'il est déjà marié, mais il estime, à juste raison, que le pape ne se fera pas trop prier pour le débarrasser de la pauvre Claude, bien que celle-ci attende un enfant.

À cette demande, qui lui offre l'occasion de prendre une revanche éclatante sur le destin, on peut s'attendre que Marie adhère avec enthousiasme... Eh bien, non ! Pour une fois, l'amour l'emporte sur la raison. Certes, François lui a bien plu et elle n'aurait pas demandé mieux que de se laisser faire. Mais ce n'était chez elle qu'un jeu ; le jeu ne l'amuse plus et le désir a passé. L'homme qu'elle aime, c'est Suffolk, et c'est lui qu'elle veut ! Dans un accès de franchise – une fois n'est pas coutume –, elle déclare à François : « J'espère que Votre Majesté souffrira que je me marie selon mon cœur. »

Cette déclaration surprend le roi. Refuser le royaume de France pour un homme, a-t-on idée ? Cette préférence lui paraît tellement incongrue qu'il écrira sous le portrait de Marie, de sa propre main, ces mots qui traduisent bien son opinion : « Plus fole que reyne ! »

Marie va donc épouser son galant, mais il est dit qu'avec elle les choses ne peuvent jamais aller paisiblement. Elle manifeste la volonté de garder non seulement les bijoux que son défunt époux lui a offerts, mais aussi les meubles qui occupaient les appartements royaux. Naturellement, François, remonté par sa mère, s'y refuse obstinément. Entre les anciens amoureux, ce sont des disputes de chiffonniers, à l'issue desquelles le roi a le dernier mot, sauf en ce qui concerne un diamant admirable, le Miroir de Naples, appartenant à la couronne, ce qui n'avait pas empêché Louis XII de l'offrir à sa jeune épouse. Marie l'emporte donc en Angleterre. Après son départ, le roi a la surprise désagréable de constater que Suffolk et elle ont laissé derrière eux un monceau de dettes, en rapport avec leur rang, c'est-à-dire pléthoriques, que le trésor royal devra payer. Voilà qui ne donne pas à François l'envie de sourire, car le trésor en question accuse un vide désespérant, mais il est débarrassé de Marie et des problèmes qu'elle lui posait ; ceci vaut bien cela...

Les fastes du sacre et les fêtes qui s'ensuivent n'empêchent pas le roi de demeurer fidèle au goût du plaisir que manifestait le dauphin, c'est même là la seule fidélité qu'il ait jamais observée. Quelques jours se sont à peine écoulés depuis son retour de Saint-Denis qu'en plein milieu de la nuit il vient frapper à la porte de Mme Dishommes. Celle-ci n'en croit pas ses yeux, et la conversation qui s'engage entre eux est édifiante :

— Seigneur, est-ce possible ? Que me vaut tant d'honneurs ?

— Point de cérémonie entre nous, m'amye n'êtes-vous point satisfaite de me voir ?

Ces propos sont échangés en présence de la caமériste de la jeune femme, et c'est à son indiscrétion que nous devons de les connaître... de même que la suite de la soirée, le jeune roi ayant manifesté l'intention de ne pas rentrer aux Tournelles avant l'aube ! Pendant plusieurs nuits, il va ainsi reprendre les relations les plus tendres avec l'épouse de l'avocat, ce dernier poussant la complaisance jusqu'à plonger dans un sommeil de plus en plus profond et de plus en plus long. Il est d'ailleurs vraisemblable que M⁰ Dishommes était au courant de ses infortunes conjugales et que, loin de s'en offusquer, il avait conscience de l'honneur que lui faisait le roi de France en partageant son épouse avec lui !

Si ses nuits sont bien remplies, les journées de François Iᵉʳ ne le sont pas moins. Il a repris à son compte le mirage italien, qu'avant lui Charles VIII et Louis XII avaient poursuivi, toujours à cause de Valentine Visconti, cette arrière-grand-mère héritière du Milanais, qui en épousant Louis d'Orléans avait eu une bien fâcheuse idée. Que de déboires en effet causera à la France cette obstination à récupérer un héritage que les autres nations d'Europe n'ont nulle intention de lui concéder ! Mais l'heure n'est pas aux sombres pensées. Impatient de montrer au monde de quoi il est capable, François prépare fiévreusement son expédition. Pour trouver les ressources nécessaires à l'opération, le roi a fait fondre la vaisselle d'or de son prédécesseur. Ainsi a-t-il pu recruter les mercenaires allemands dont il avait besoin. Le 23 avril, il monte à cheval et s'embarque pour une épopée qui va assurer son passage à la postérité. Marignan, 1515... Les écoliers ne sont pas les seuls à connaître cette date par cœur, elle est demeurée dans la mémoire collective de tous les Français.

Il n'entre pas dans le propos de ce livre de raconter dans le détail cette bataille légendaire, il s'agit seulement de rappeler les faits. Après un passage des Alpes digne de celui des troupes d'Hannibal jadis, François, en fils toujours fidèle, décrit à sa mère les obstacles que son armée dut surmonter. Initiative insolite de la part d'un guerrier que ces confidences faites à une femme, mais nous savons déjà l'importance du rôle que jouent dans l'existence du roi les femmes en général, et Louise en particulier.

« Nous sommes dans le plus étrange pays où jamais fut homme de cette compagnie, écrit-il. Mais demain, j'espère être en la plaine de Piémont avec la bande que je mène, ce qui nous sera grand plaisir, car il nous fâche fort de porter le harnais parmi ces montagnes, parce que, la plupart du temps, nous faut être à pied et mener nos chevaux par la bride. À qui n'aurait vu ce que nous voyons, serait impossible de croire qu'on pût mener gens de cheval et grosse artillerie comme le faisons. Croyez Madame, que ce n'est pas sans peine, car si je ne fusse arrivé, notre artillerie grosse fût demeurée, mais Dieu merci je la mène avec moi. Vous avisant que nous faisons bon guet, car nous ne sommes qu'à cinq ou six lieues des Suisses. Et, sur ce point, va vous dire bon soir votre très humble et très obéissant fils, Françoys. »

Tandis que le roi marche vers l'ennemi, celui-ci regroupe ses forces et l'attend de pied ferme. Les mercenaires suisses, qui avaient d'abord accepté de combattre pour le compte du roi de France, ont subitement viré de bord sous l'impulsion du cardinal-archevêque de Sion, Mathias Schinner. Farouche ennemi de François, le prélat a tenu à ses troupes un discours guerrier et les a rassemblées autour de Milan. Le plan de Schinner consiste à attaquer les Français sur la route qui va de Marignan à Milan en comptant sur l'effet de surprise puisque, en principe, les Suisses ne devaient manifester aucune hostilité aux Français. En ordonnant d'attaquer ces derniers, le belliqueux cardinal se met donc dans la peau d'un traître, mais ce « détail » ne saurait l'arrêter. Malheureusement pour lui, la poussière soulevée par son artillerie signale son approche aux Français.

Ceux-ci s'apprêtent à livrer bientôt bataille, et cette perspective les réjouit, comme en témoigne ce refrain, qui mêle la guerre et la femme :

Le roi s'en va delà les monts,
Il meura force piétons,
Ils iront à grand peine,
L'alaine, l'alaine, me faut l'alaine.

M'amye avait noù Janetons,
Elle avait un si joli con,
Point n'y avait de laine,
L'alaine, l'alaine, me faut l'alaine.

Celui qui fist ceste chanson,
Ce fust un gentil compaignon
Qui est vestu de laine,
L'alaine, l'alaine, me faut l'alaine.

Lorsque François est prévenu que l'ennemi est en vue, il laisse éclater sa joie tant est grande sa confiance dans l'issue. Il adresse à ses compagnons quelques paroles martiales :

— Messieurs, combattons aujourd'hui virilement ! Je suis votre roi et votre prince, je suis jeune, vous m'avez promis fidélité et juré d'être bons et loyaux. Je ne vous abandonnerai point et j'ai décidé de vivre et mourir avec vous... Souvenez-vous chacun de votre dame, car au regard de moi, je n'oublierai point la mienne.

À laquelle de ses dames François pense-t-il en proférant cette recommandation ? Est-ce à la belle Mme Dishommes ou à quelque autre ? Avec lui, on n'a que l'embarras du choix...

Après ce petit discours, un témoin nous rapporte que le roi « passe une cotte d'armes bleu azur, semée de fleurs de lys, il se coiffe d'un casque surmonté d'une couronne éclatante d'or et de pierreries ». Et la bataille commence. Acharnée. Féroce. Les hommes se battent corps à corps, François le premier, qui domine la mêlée de sa haute taille, tel quelque géant mythique. À son côté, Bayard ne se borne pas à donner des coups d'épée à ses adversaires, il leur adresse des propos peu amènes :

— Suisses, traîtres et vilains maudits, retournez manger du fromage dans vos montagnes, si vous pouvez ! Mais je vous promets que vous n'en aurez pas le loisir.

Les Suisses n'auront en effet guère le temps de manger du fromage car, à mesure que les heures passent, la lutte, telle que la décrit François Ier à sa mère, devient plus meurtrière :

« Toute la nuit, nous demeurâmes le cul sur la selle, la lance au poing, l'armet à la tête et les lansquenets en ordre pour combattre ; et comme j'étais le plus près de nos ennemis, il m'a fallu faire le guet... »

De son côté, Martin du Bellay, témoin de la bataille, écrit :

« En plusieurs lieux se trouvèrent les Français et les Suisses couchés les uns auprès des autres, des nôtres dedans leur camp, et des leurs dedans le nôtre. »

Commencée le 13 septembre, la bataille s'achève le lendemain soir par la confusion des Suisses. Essayant d'échapper à l'étreinte des Français, ils fuient en désordre, le premier à prendre ses jambes à son cou étant le cardinal Schinner, qui, apparemment, a oublié ses résolutions martiales. Les pertes sont terribles : quatorze mille ennemis sont restés sur le champ de bataille, tandis que les Français ont perdu deux mille cinq cents hommes.

Fier à juste titre de la victoire à laquelle il a pris une part prépondérante, le roi en rend compte à sa mère, Louise ayant la priorité de ses communiqués :

« J'ai vu les lansquenets mesurer la pique aux Suisses, la lance aux gens d'armes, et me dira-t-on plus que les gens d'armes sont lièvres armés, car sans point de faute, ce sont eux qui ont fait l'exécution. Nous avons été vingt-huit heures à cheval, sans boire ni manger. Et tout bien débattu, depuis deux mille ans, il n'y a point été vu si fière ni si cruelle bataille... Au demeurant, Madame, faites bien remercier Dieu par tout le royaume de la victoire qu'il lui a plu de nous donner. »

En ce même soir, c'est l'image dont tous les écoliers de France gardent le souvenir : François Ier devient le Roi-Chevalier, armé par Bayard, le Chevalier sans peur et sans reproche. Les deux hommes échangent des paroles qui demeurent inscrites au fronton de la plus glorieuse des traditions guerrières :

— Bayard, mon ami, dit le roi, je veux aujourd'hui être fait chevalier par vos mains, parce que le chevalier qui a combattu à pied et à cheval en plus de batailles entre tous autres est tenu et réputé le plus digne chevalier.

— Sire, répond Bayard, celui qui est couronné, loué et oint de l'huile, envoyé du ciel et est le roi du royaume, le premier fils de l'Église, est chevalier sur tous les chevaliers.

Autre consécration pour François, celle d'un poète. Clément Janequin écrit en son honneur la célèbre chanson de Marignan :

Escoutez, escoutez tous gentils Gallois,
La victoire du noble roy François.
Et oyez si bien
Des coups ruez de tous costez.
Soufflez, jouez, soufflez vos tours,
Phifres soufflez, frappez tambours !
Soufflez, jouez, frappez toujours.
Nobles, sautez dans les arçons

Armez, bouchez, frisqués mignons,
La lance au poing, hardis et prompts.
Alarme, alarme, alarme, alarme !
Suivez François, suivez la couronne !
Sonnez trompettes et clérons,
Pour réjouir les compagnons !
Victoire, victoire, au noble roy François
Victoire au gentil de Valois !
Victoire au noble roy François.

La victoire de François lui ouvre les portes du duché de Milan et lui assure une position prépondérante dans la péninsule italienne. Suprême consécration, le pape Léon X, qui tremble à l'idée que le roi de France pourrait lui subtiliser ses États, l'accueille comme un fils. Il refuse que François lui lave les pieds, selon la tradition, et l'embrasse sur la bouche en signe d'affection.

Comme on s'en doute, durant son séjour italien, le roi va glaner d'autres baisers plus agréables. Notamment ceux d'une *signora* Clerici, une jeune femme milanaise dont le mari, heureuse coïncidence, a le sommeil aussi profond que celui de Mᵉ Dishommes. Souvent, quand vient la nuit, sans aucune escorte, le roi quitte sa demeure et vient retrouver la belle. Il faut croire que le manège se renouvelle un peu trop puisque la rumeur est parvenue aux oreilles de Louise, ce qui ne manque pas de l'inquiéter, car elle redoute que ces aimables passe-temps ne distraient son fils d'autres préoccupations plus sérieuses.

La *signora* Clerici n'est d'ailleurs pas la seule à bénéficier de la faveur royale ; d'autres belles Italiennes succombent au charme du monarque, qui, au hasard de ses pérégrinations, cueillera bien des cœurs et des corps. Cette activité n'est cependant pas la seule de cet homme qui semble doué du don d'ubiquité. Outre ses négociations politiques destinées à tirer profit de sa campagne victorieuse, son goût des arts, sa sensibilité

46

à la beauté sont éveillés par les décors qui s'offrent à sa vue. La Renaissance italienne l'impressionne par la richesse de son architecture, par l'élégance de ses formes. Il est particulièrement frappé par sa rencontre avec Léonard de Vinci. Rencontre fructueuse puisqu'il persuadera le grand artiste de s'expatrier en France. À défaut de pouvoir conserver ses conquêtes, François aura enrichi son pays de trésors plus durables et plus précieux que la possession d'une province.

Sur le moment, le bilan de l'expédition italienne est donc positif, mais, quels que soient les charmes du pays et le plaisir qu'il prend à soulever des acclamations sur son passage, le souverain doit quand même regagner son royaume. Au mois de janvier 1516, François retrouve sa mère à Sisteron. Durant son absence, Louise de Savoie a dirigé les affaires du pays d'une main ferme, tandis que la reine Claude, selon son habitude, se tenait modestement dans l'ombre de sa belle-mère ; elle a accompagné celle-ci à la rencontre du roi, auquel elle a donné, entre-temps, un premier enfant, une fille. Si François éprouve quelque satisfaction à retrouver son épouse, il ne s'attarde pas trop auprès d'elle. Se dirigeant vers Marseille et passant par Manosque, il trouve le moyen de séduire la fort jolie fille du consul Antoine de Voland. La jeune personne est romanesque et elle prend feu et flamme pour son royal soupirant, mais quand elle comprend où celui-ci veut en venir, elle est prise de panique. Pour sauver son honneur, elle ne trouve rien de mieux que de... brûler son visage ! Ce qui s'appelle avoir la vertu par trop obstinée ! Les dames de la société marseillaise, qui accueillent le Roi-Chevalier lors de son entrée dans la cité méditerranéenne, sont heureusement moins farouches.

Le retour du roi vers Paris évoque ces marches grandioses des empereurs romains de l'Antiquité revenant d'expéditions victorieuses. Ce que le peuple de France acclame, à travers la personne de son jeune roi, c'est la paix retrouvée, la paix assurée pour des décennies. C'est du moins ce que veut croire l'opinion depuis que le souverain a conclu des traités avec l'Espagne de Charles Quint et l'Autriche de Maximilien, l'Angleterre d'Henri VIII accordant sa bénédiction en échange d'un confortable « pourboire » versé à son souverain.

Désirant que tout le monde soit heureux autour de lui, François entend que la reine soit associée à son triomphe. Claude va donc sortir de l'anonymat où elle était confinée jusqu'alors : au mois de mai 1517, elle est couronnée à Saint-Denis, cérémonie qui donne lieu à des fêtes, fêtes dont évidemment le Roi-Chevalier est le héros. Ce jeune homme de vingt-trois ans, d'une taille qui avoisine les deux mètres, resplendissant dans ses habits de drap d'or, couvert de pierreries, attire tous les regards, surtout les regards féminins, comme on peut s'en douter. Lors des nombreux tournois qui se déroulent durant ces quelques jours, il est irrésistible et abat ses adversaires les uns après les autres, arrachant des cris d'admiration à la foule, musique que le monarque apprécie entre toutes. On peut supposer que les dames présentes sont les plus enthousiastes.

Même si le roi répond à leurs avances, cette activité parallèle ne l'empêche pas de remplir ponctuellement ses devoirs conjugaux, les grossesses successives de Claude en étant la meilleure preuve. Ainsi, le 28 février 1518, la reine donne naissance à un fils, qui bien entendu reçoit le prénom de François. Son père n'aurait jamais accepté que son successeur en portât un autre. Cependant, le jeune François disparaîtra prématurément, laissant le trône à son frère cadet Henri. Mais nous n'en sommes pas là.

Pour le moment, François Ier savoure la volupté de vivre selon son bon plaisir. Il aime particulièrement le château d'Amboise, où il a passé une partie de sa jeunesse ; il y mène une existence animée, entouré de joyeux compagnons et de non moins agréables compagnes. Lorsqu'il a bien festoyé, lorsqu'il a passé la nuit à danser le branle ou la volte, le roi saute sur son cheval et se rend au petit manoir voisin de Clos-Lucé. C'est là qu'il donne l'hospitalité à Léonard de Vinci. De sa campagne d'Italie, il a rapporté le plus précieux des « bagages » en la personne du vieux maître, et celui-ci paie largement son tribut à la générosité du roi en ornant les murs du château de fresques magnifiques. Dans une partie de la demeure, Léonard a installé quelques-unes de ses inventions révolutionnaires, dont une machine volante qui préfigure étrangement nos modernes avions. Mais ce que François admire le plus, c'est le portrait d'une jeune femme dont le sourire énigmatique l'hypnotise.

— Mon père – c'est ainsi que le roi nomme l'artiste quand il s'adresse à lui. Mon père, lui demande-t-il, quelle est cette femme merveilleuse ?

— Je crains fort, Sire, que vous deviez vous contenter d'admirer son portrait, car vous ne pourrez jamais la rencontrer.

Comme le roi insiste, Léonard précise :

— C'est la femme d'un bourgeois de Venise dont le visage m'a paru intéressant parce qu'il reflète parfaitement la douceur de vivre.

— Quelle chance, vous avez eue, mon père, d'avoir pu disposer d'un tel modèle, soupire le roi.

Un sourire malicieux éclaire alors le visage du vieillard :

— Savez-vous, Sire, que cette jolie femme a eu bien de la patience, puisque son portrait m'a demandé quatre ans !

À cette nouvelle, François sursaute :

— Quatre années ! Elle est venue durant quatre années poser chez vous pour ce portrait ?

— Eh oui, Sire... Pour nous autres, peintres, un tableau n'est jamais terminé que lorsque nous sentons qu'il est achevé. Il m'a fallu tout ce temps pour m'en convaincre. Il est vrai que parfois j'interrompais les séances de pose pendant plusieurs semaines, et même plusieurs mois. Quand nous les reprenions, pour que le temps ne paraisse pas trop long à mon modèle, je faisais venir des musiciens qui lui jouaient une aubade pendant qu'elle posait...

— Si je ne peux jamais la voir, dites-moi au moins comme elle se nomme pour que je puisse rêver d'elle, demande alors le roi.

— Elle se nomme Mona Lisa del Giocondo, et j'ai donné son nom au portrait, je l'ai appelé *La Joconde*.

À quelque temps de là, le roi revient à Clos-Lucé et passe de longs moments à admirer le visage de Mona Lisa. Se tournant vers le peintre, il lui demande alors :

— À défaut du modèle, cédez-moi le portrait... Je le paierai autant de milliers d'écus qu'il vous plaira de recevoir.

Et c'est ainsi que, dans une salle du château de Clos-Lucé, *La Joconde* devint propriété de la France, ce qui démontre que l'admiration des jolies femmes, contrairement aux idées reçues, peut parfois contribuer à l'enrichissement d'un pays.

Si le Roi-Chevalier se rend aussi fréquemment au manoir de Clos-Lucé, ce n'est pas seulement pour admirer les œuvres de Vinci. Depuis quelques années, la demeure appartient à une toute jeune fille, Marie Babou de la Bourdaisière, qui l'a reçue en héritage de son père, disparu prématurément. À l'âge de quinze ans, la jeune fille se trouve donc à la tête d'un vaste domaine. Mais ce qui la trouble en ce printemps de 1519, ce n'est pas tant d'être châtelaine que de sentir naître en elle d'étranges émois. Les miroirs lui révèlent qu'elle est devenue une bien jolie personne et les regards des jeunes seigneurs du voisinage la confirment dans cette opinion. Mais celle que, en raison de ses charmes, les chroniqueurs du temps vont surnommer la « belle Babou » ne prête nulle attention à leurs déclarations. Son cœur bat pour un homme de vingt-cinq ans dont les visites ont enflammé sa jeune imagination ; elle s'est assigné pour objectif de conquérir François Iᵉʳ en personne ! Elle n'a sans doute pas tort de viser si haut puisque, même après la disparition de Léonard de Vinci, le roi continue de se rendre à Clos-Lucé. Consciente de l'intérêt qu'elle a éveillé, Marie repousse ses autres postulants. Elle préserve une innocence qu'elle n'entend immoler que sur l'autel royal. C'est qu'il y a autant de jugement dans sa tête qu'il y a de grâce sur son visage. Le roi lui-même devra faire antichambre durant trois ans. Enfin, un jour d'avril 1522, la belle Babou juge qu'il est temps d'entrer dans l'Histoire... même en passant par la petite porte ! Elle accorde à François une victoire qui, dans son esprit, vaut bien celle de Marignan, même si elle est plus intime.

La constance n'étant pas la vertu dominante du souverain, nous savons que d'autres « champs de bataille » vont l'attirer, et nous verrons bientôt que, tout en courtisant Marie, il entame une liaison d'importance. Cependant, il n'en continuera pas moins de rendre parfois visite à la belle Babou. Bien mieux, entre eux se noueront les liens d'une solide amitié, et la jeune femme donnera à son ancien soupirant des gages de son dévouement. Quelques années plus tard, l'occasion va se présenter pour elle de montrer ce dévouement, doublé de l'honorable mission de servir son pays.

Charles Quint s'est rendu en France incognito afin d'entamer avec son homologue français des négociations discrètes. François Iᵉʳ, qui connaît les ressorts secrets de la diplomatie, estime que, si son interlocuteur apprécie l'hospitalité française, il n'en sera que mieux disposé. Il le loge donc à Clos-Lucé et recommande à Marie de le traiter... avec tous les égards dus à son rang. Il n'est pas nécessaire d'en dire davantage à la belle Babou. Elle mènera sa mission en bonne patriote, et si l'accord souhaité par François n'aboutit pas, cela ne sera pas sa faute. Elle a fait *tout* ce qu'il fallait pour qu'il réussît.

3

À la première de ces dames

Nous l'avons vu, François Ier, qu'il séjourne à Amboise, à Blois ou dans quelque autre de ses châteaux, proclame toujours la même devise : « Une cour sans dames est un jardin sans fleurs. » Pour peupler ce *jardin*, elles ne sont pas moins de vingt-sept *fleurs*, que le roi entretient sur sa cassette, habille selon ses goûts... et qu'il cueille à tour de rôle, selon son caprice du moment. Sur cette « terre promise » qui tient ses promesses, dont la femme est le fruit bien mal défendu, la poésie sert de toile de fond aux joutes amoureuses. En effet, c'est le plus souvent au moyen d'épîtres en vers que le roi sollicite des faveurs... que d'ailleurs aucune des fleurs ne songe à lui refuser, et c'est toujours en vers qu'il fait semblant de soupirer :

> *Où êtes-vous allées, mes belles amourettes ?*
> *Changerez-vous de lieu tous les jours ?*
> *À qui dirai-je mon tourment et ma peine ?*

En vérité, ses tourments comme ses peines sont de courte durée, c'est plutôt lui qui sème les uns et les autres sur son chemin. Mais s'il est volage, il s'interdit le moindre mouvement de jalousie lorsqu'une de ses maîtresses lui rend la pareille, et c'est encore en vers qu'il commente l'incident :

Comment femme varie
Mal habile qui s'y fie.

Ce dicton, passé à la postérité, lui sera inspiré un jour par celle qui fut la seconde... et la plus ingrate des « femmes de sa vie », Anne de Pisseleu. Mais quel que soit son comportement, toute femme, simplement parce qu'elle est une femme, jouit auprès de François d'un préjugé favorable, et sa complaisance s'étend même aux moins vertueuses. Cette note, qu'il adresse à Jehan Buval, son trésorier, en est un témoignage éloquent : « Nous ordonnons au féal trésorier de notre épargne de remettre à Cécile Viefville, dame des filles de joie suivant notre cour, quarante-cinq livres tournois faisant la valeur de vingt écus d'or au soleil... »

Cette dame Viefville, qui dirige le « harem » ambulant de la cour, est une sorte de fonctionnaire : en effet, la somme que le roi lui alloue n'est pas une simple gratification mais une « mensualité tant pour elle et pour les autres femmes et filles de sa vocation et à répartir entre elles », et François précise qu'il est accoutumé de faire ce don « de toute ancienneté ».

Admirons au passage le terme de « vocation » dont use le roi pour définir le plus ancien métier du monde. En quelque sorte, le roi offrait des quartiers de noblesse à la prostitution. Empressons-nous d'ajouter que François n'utilise pas les filles de joie pour sa « consommation » personnelle ; il n'en a nul besoin, les dames de la meilleure société ne lui étant jamais cruelles. C'est parmi elles qu'il va rencontrer celle qui sera la « première femme de sa vie », la première dont il sera vraiment épris. Françoise de Foix, comtesse de Châteaubriant, est une brune superbe, dont le corps semble avoir été conçu pour les étreintes les plus voluptueuses. Elle n'attendra pas longtemps avant d'y goûter, et la façon dont François la rencontre ne manque pas de piquant.

Bien que toute jeune encore, il y a déjà plusieurs années qu'elle a fait ses « premières armes ». Intéressons-nous donc au passé de la dame avant de nous occuper de son avenir. Née en 1494, tout comme François Ier, Françoise a été élevée à la cour d'Anne de Bretagne, dans ce climat d'austérité que fait régner la maîtresse des lieux. Épouse successivement de deux rois de France, Anne de Bretagne est avant tout une tête politique qui fait passer au second plan ses affaires de cœur. C'est dire qu'auprès d'elle il n'y a rien qui puisse réjouir une adolescente au tempérament fougueux comme Françoise. Non, elle ne s'amuse pas, la jeune Françoise, ce qui ne l'empêche pas de devenir une bien jolie petite personne, au point d'inspirer, un jour de 1506, un coup de foudre à l'un des vassaux de la duchesse de Bretagne, Jean de Laval, comte de Châteaubriant. Laval a vingt ans et Françoise onze seulement, ce n'est là qu'un détail qui, apparemment, ne gêne pas les deux amoureux. Françoise est encore une enfant, mais une enfant d'une précocité remarquable, comme on va pouvoir en juger. Jean de Laval est tellement épris qu'il n'y tient plus et l'enlève, avec le consentement de la petite, car elle est tombée amoureuse de son suborneur. Une fois lancée sur le sentier de l'amour, Mlle de Foix ne fait pas les choses à moitié puisque deux ans plus tard, au mois de mars 1508 – elle n'a que quatorze ans –, elle donne le jour à une petite fille... Quand on vous disait que cette jeune personne était précoce ! Hâtons-nous d'ajouter que cette adolescente a déjà la taille et les formes d'une femme et aussi... ses curiosités. L'année suivante, ce couple insolite finit par retrouver le chemin de la respectabilité : Françoise épouse son ravisseur et devient comtesse de Châteaubriant.

Hélas, si la jeune femme considérait le mariage comme un amusement et croyait y trouver la liberté, elle va vite déchanter. Justement inquiet par les dons que son épouse manifeste dans tous les domaines, Jean de Laval entend être le seul à en profiter. Ce qui est faire preuve d'égoïsme. Or, de par le service du roi, le comte de Châteaubriant est souvent absent du foyer conjugal : guère prudent quand on est l'époux d'une aussi jolie personne. Pour éviter les risques – un accident est si vite arrivé –, Laval a donc bouclé sa femme dans leur château avec défense d'en bouger et, surtout, de se rendre à la cour. Le comte n'ignore pas la liberté de mœurs qui règne dans l'entourage du roi, et il veut éviter les dangers de la contagion.

Séquestrée dans son domaine, la pauvre Françoise se morfond et s'estime frustrée. Ce qu'elle a ouï dire à propos de la vie à la cour, au lieu de la choquer, lui donne une furieuse envie de s'y mêler.

De son côté, François Ier a entendu vanter la beauté de la comtesse. Aussitôt, sa curiosité est mise en éveil. Elle doit être bien séduisante, cette jeune personne, pour que son mari la mette ainsi sous clef... Il décide d'en avoir le cœur net. Un jour, au château d'Amboise, il prend à part Jean de Laval et une conversation s'engage entre eux, que nous a rapportée Antoine Varillas, un écrivain du XVIIe siècle :

— Messire de Châteaubriant, attaque le roi, nous aurions grand plaisir à voir votre épouse venir nous visiter à Amboise...

La proposition ne plaît guère à Laval, qui se retranche derrière une réponse prudente :

— Sire, mon épouse ne goûte guère le monde... Elle ne se plaît qu'en notre château.

Le Roi-Chevalier, lorsqu'il exprime ce qu'il nomme son « bon plaisir », n'aime pas qu'on lui résiste. D'un ton sans réplique, il insiste :

— On me parle de tous côtés de sa beauté, de son intelligence, deux qualités propres à parer notre cour... Françoise de Foix, dame de Châteaubriant, sera des nôtres !

Comment résister à la volonté du souverain lorsqu'elle est exprimée avec autant de détermination ? Heureusement, la jalousie donne de l'astuce aux maris en possession d'une trop jolie femme. Jean de Laval se doutait que la réputation flatteuse de Françoise parviendrait aux oreilles du roi et exciterait son appétit bien connu. En conséquence, il avait mis sur pied un stratagème qui préserverait son honneur ; du moins le pensait-il...

Toujours d'après Antoine Varillas, avant de partir pour Amboise, il avait recommandé à son épouse :

— M'amye, je me rends à la cour ; il se peut que je sois obligé de vous inviter à venir me rejoindre, surtout n'en faites rien...

— Comment saurai-je qu'il faut désobéir à votre demande ? avait questionné Françoise.

— De la manière la plus simple : si je souhaite réellement que vous me rejoigniez, je joindrai à mon billet une bague semblable à celle-ci... Si aucune bague n'accompagne ma lettre, n'y ajoutez aucun crédit.

Et de montrer à la jeune femme deux bagues absolument identiques, fabriquées sur son ordre dans ce but précis. Laissant une des bagues à la comtesse, il part pour Amboise, le cœur léger, se croyant à l'abri d'une mésaventure. Lorsque, quelques jours plus tard, le roi réclame de nouveau la présence de Mme de Châteaubriant à sa cour, Laval feint d'accepter et rédige sous les yeux de son hôte royal un billet invitant sa femme à venir le retrouver, mais sans y ajouter la fameuse bague, évidemment. Ainsi, tout en ayant l'air d'obéir à son maître, il se sent tranquille. Remarquons en passant qu'il doit avoir une bien piètre confiance en son épouse pour user de telles précautions. Il est vrai qu'il a pu lui-même évaluer la disposition de Françoise dans le domaine du plaisir.

Mais ce qu'il ignore, c'est que le roi a des espions partout. À quoi servirait-il d'être chef d'État si l'on ne pouvait se livrer à un abus de pouvoir ? Bien des successeurs de François Ier, sous tous les régimes, ont suivi le même chemin. Un des domestiques du comte de Châteaubriant a donc trahi son maître et dévoilé le stratagème destiné à mettre son honneur conjugal à l'abri. Moyennant un sac d'écus, il remet la bague à l'espion du roi, qui à son tour informe ce dernier. Une copie de la bague est rapidement exécutée, après quoi l'original est replacé dans le coffre de M. de Châteaubriant, qui ne s'est aperçu de rien et continue de dormir sur ses deux oreilles... en attendant qu'une plantation de cornes sur son front lui interdise cette confortable position ! Quelques jours plus tard, quelle n'est pas sa stupéfaction quand il voit la belle Françoise débarquer à Amboise !

— M'amye, lui demande-t-il d'un air courroucé, que faites-vous en ces lieux ?

— C'est vous qui m'avez invitée à m'y rendre, réplique Françoise.

— Vous ne deviez obéir que si une certaine bague était jointe à ma lettre...

— La bague y était. La voici.

Et Françoise de brandir triomphalement la copie sous les yeux de Laval. Le malheureux, stupéfait, n'arrive pas à comprendre ce qui a pu se passer. Françoise, elle, plus futée, se doute bien qu'il y a là quelque malicieuse intervention qui ne peut venir que du roi en personne. Elle est d'ailleurs ravie du bon tour joué à son mari ; toute à la joie d'avoir quitté son château austère, elle apprécie le climat d'amusement qui règne à Amboise, elle goûte surtout la présence de celui qui mène le jeu de cette fête permanente. Quant au souverain, comme le redoutait Jean de Laval, il est aussitôt

58

tombé sous le charme de Françoise. Il est vrai que la jeune femme est un morceau de roi, dans tous les sens de l'expression. Une fois encore, tournons-nous vers André Castelot et demandons-lui de brosser pour nous son portrait :

« La beauté brune de Françoise était telle qu'il y avait inévitablement de quoi ne pas redescendre sur terre. On ne pouvait rêver visage plus harmonieux, des yeux plus joliment fendus en amande, un teint plus ambré, une bouche plus petite et charnue, des cheveux aux reflets de jais. Quant au corps, mieux vaut ne pas le décrire, les adjectifs manqueraient... »

Ce corps que le grand historien se refuse à définir plus avant, tant l'admiration le rend muet, Brantôme, lui, domine son émotion pour nous apprendre « qu'il est fait de la plus aimable des pâtes ». Le roi, tout à son désir, ne cherche pas à le dissimuler à celle qui en est l'objet. Il le lui confirme et, mieux encore, le lui écrit :

Votre tout vôtre, qu'il n'est plus qu'un ami.

Ne soyons pas surpris que François ait pris feu et flamme pour une telle beauté. Et comme la timidité n'est pas son plus grand handicap, il le fait aussitôt savoir à la belle... En vers, selon la mode du temps :

Car quand je pense au jour où je te vis,
Tous mes pensées jusqu'au plus haut volèrent
Te contemplant, et là ils demeurèrent.

Si dans le billet qu'il adresse à Françoise l'écriture est bien de sa main, il se peut que les vers lui aient été soufflés par quelqu'un d'autre, plus versé que lui dans cette matière, Clément Marot. Le célèbre poète servira ainsi à plusieurs reprises de « nègre » au Roi-Chevalier, mais si ce dernier n'est pas l'auteur réel des vers, du moins en a-t-il inspiré le contenu. Certes, en faisant allusion à la pérennité de ses sentiments, François s'avance un peu trop loin : la constance n'est pas son fort. Pourtant, cette fois, il est sincère, il aime Françoise et il le fait savoir, réhabilitant ainsi une tradition inaugurée jadis par Charles VII en faveur d'Agnès Sorel, celle de la favorite officielle. Le souvenir de cette dernière était d'ailleurs demeuré dans l'esprit de François, qui lui avait dédié quelques vers significatifs :

Gentille Agnès, plus d'honneur tu mérites ;
La cause étant de France recouvrer
Que ce que peut dedant un cloître ouvrer
Close nonnain ou bien dévot ermite.

Du jour au lendemain, voilà donc Françoise de Châteaubriant bien installée sur un piédestal et visiblement enchantée de cette posture. Elle est ravie que ce jeune guerrier, encore auréolé de la victoire de Marignan, lui fasse l'hommage de sa gloire. Elle non plus ne cache pas ses sentiments dans les billets qu'elle lui adresse :

Votre, tant qu'il vous plaira l'aimer, heureuse amie.

Dans ces conditions, elle n'a guère envie de résister au désir royal... et elle y résiste quand même. C'est qu'elle sait le prix de sa défaite et qu'elle entend le faire connaître à son futur vainqueur. Si elle agit ainsi, ce n'est pas pour des motifs d'intérêt, elle aime le roi sincèrement et le lui prouvera, sans que les somptueux présents qu'il va lui faire y soient pour quelque chose. Non, si elle lui résiste, c'est qu'elle perçoit à quel être volage elle a affaire ; elle voudrait donc qu'il appréciât à son juste prix le don de sa personne.

Après quelques semaines d'une lutte « héroïque », la forteresse se rend. La vertu de Françoise, violemment secouée par les assauts que lui a portés son royal soupirant, rompt le combat et capitule. Elle aussi, c'est en versifiant qu'elle annonce au roi sa prochaine défaite :

> *Pour mourir ne voudrais dire*
> *Ce que je veux maintenant révéler,*
> *C'est qu'il te plaise de garder mon honneur ;*
> *Car je te donne mon amour et mon cœur.*

Ainsi commence une liaison passionnée qui va durer dix années. Dix ans pour François Ier, c'est un siècle pour un autre homme, pensera le lecteur à juste titre. Qu'il se rassure, durant cette longue période, le roi trompera copieusement sa belle égérie... et celle-ci lui rendra la pareille ! Toutefois, n'anticipons pas, nous n'en sommes qu'aux prémices de ces belles amours. Voyons plutôt de quel œil le comte de Châteaubriant considère les écarts de son épouse... D'un mauvais œil. Il ne semble pas apprécier d'être fait cornard par le roi de France, et Françoise doit essuyer de violentes scènes de ménage. Autour du couple adultère, la réprobation est générale... à l'encontre du mari ! Reprocher à son épouse d'entretenir des relations coupables avec le souverain relève d'un manque de savoir-vivre ! Pour un peu, Laval serait accusé de crime de lèse-majesté ! Heureusement, au bout de quelques semaines, il a fini par s'accommoder de son « état » et a compris que son intérêt réside dans son aveuglement. Le roi le charge d'une mission de confiance : aller à Nantes tirer les oreilles des Bretons, qui répugnent à payer l'impôt. Cet éloignement laisse la bride sur le cou à François et Françoise, qui pourront batifoler en toute quiétude.

À son retour de Nantes, ce n'est que justice, Châteaubriant reçoit la « récompense » que sa complaisance lui a value : le roi décide « qu'il sera donné au sire de Châteaubriant le commandement d'une compagnie de quarante hommes d'armes ».

Ainsi encouragé à fermer les yeux, le comte ne les rouvre plus, ce qui lui vaut bientôt d'autres marques de la reconnaissance royale : il est fait « seigneur de Dinan », en considération des services rendus par son frère ! Ce sont les termes pudiques employés pour la circonstance.

De plus en plus satisfait de ses relations avec la comtesse, le roi ne réserve pas sa gratitude au seul mari. La famille de Françoise tire également profit de sa « gentillesse » vis-à-vis du souverain. Les écus n'ont pas d'odeur et les trois frères de la belle ne font pas de manières pour accepter d'importantes charges militaires, en dépit d'une incapacité flagrante dont ils donneront de multiples preuves. Le frère aîné de Françoise, le vicomte de Lautrec, promu maréchal de France, se voit conférer par le roi en 1522 la défense du Milanais... qu'il perd en moins de quatre semaines. Difficile de faire pire ! Quant aux deux autres, s'ils se montrent courageux sur les champs de bataille, leur sacrifice n'efface pas leur médiocrité : Thomas de Lescun sera tué en 1525, à Pavie, d'un coup d'arquebuse, et André de Lespare perdra la vue à la suite d'une blessure à la tête.

Cependant, les amants mettent les bouchées doubles au vu et au su de la cour. Fidèle à sa discrétion coutumière, la reine Claude n'élève aucune objection et se contente de donner ponctuellement naissance aux enfants que son mari lui fait, non moins ponctuellement. Les premières années du règne sont des années heureuses : l'illusion italienne perdure et le roi rapporte de son duché de Milan des impressions qui vont déboucher sur l'explosion de la Renaissance. Sur les bords de la Loire, de ravissants châteaux surgissent qui témoigneront au cours des siècles de la grandeur du règne, tandis que François attire sur notre sol les plus fameux artistes italiens. Partout, à Chambord, à Blois, à Amboise, le souverain multiplie les fêtes pour les beaux yeux de la femme qu'il aime. Françoise de Châteaubriant est devenue reine de France... de la main gauche, ce qui n'empêche pas Claude de le demeurer de la main droite ! Par ailleurs, l'Italie ne suffit pas à satisfaire les visées expansionnistes du Roi-Chevalier. Le vieil empereur d'Allemagne Maximilien venant de mourir, son trône se trouve vacant et, selon la loi du Saint Empire romain germanique, doit être pourvu par voie d'élection. François se porte candidat, mais les Électeurs allemands lui préfèrent Charles Quint, le petit-fils du défunt. L'Empire allemand et l'Empire espagnol ont désormais un même maître, ce qui présente une grande menace pour la France et marque le début d'une série de conflits qui se poursuivra durant deux siècles et ne s'achèvera qu'à la fin du règne de Louis XIV.

Afin de pallier le danger d'isolement, François amorce un rapprochement avec l'Angleterre à sa manière, c'est-à-dire en s'efforçant d'éblouir son roi. Ce sera la célèbre entrevue du Camp du Drap d'or. Pour qu'elle soit une réussite complète, le roi s'est fait accompagner des plus belles « fleurs » de sa cour, au premier rang desquelles figure évidemment la comtesse de Châteaubriant.

C'est là le côté aimable de l'expédition ; le côté sérieux, c'est la présence de Louise, flanquée de sa fille, Marguerite d'Alençon, elle-même escortée de son mari, le falot duc d'Alençon... sans oublier la reine Claude. Comme toujours, on remarque à peine qu'elle est du voyage. Les plus grands personnages du royaume ont suivi leur maître : le connétable de Bourbon, celui-là même qui trahira bientôt François Ier, les ducs de Lorraine, de Longueville, de Vendôme et, bien entendu, le compagnon de tous les jours, l'amiral de Bonnivet. Puis le chancelier Duprat : c'est lui qui a organisé l'entrevue en compagnie de son homologue anglais, Wolsey. Au passage, le « cardinal-danseur » s'est fait attribuer par les Français un pourboire confortable, ce qui est devenu chez lui une habitude.

Le roi de France n'a pas lésiné sur les moyens : il a fait dresser, dans la plaine qui s'étend entre Arches et Guînes, un camp d'un luxe inouï, composé de pavillons de drap frisé d'or, que tapissiers et brodeurs ont décorés somptueusement. Rappelons que Guînes, comme Calais, est encore possession anglaise, ultime séquelle de la guerre de Cent Ans. L'abondance de ces décorations d'or donnera son nom à l'entrevue des deux souverains.

Pour ne pas être en reste d'apparat avec son « bon frère » François, Henri amène avec lui une suite de 5 172 personnes et de 2 865 chevaux ! Avant de consentir à ce rendez-vous prestigieux, le roi d'Angleterre s'est curieusement renseigné... sur le physique du roi de France. A-t-il peur de faire pâle figure auprès du Français, dont on vante partout la beauté ? C'est possible, car il a poussé un soupir de soulagement quand il appris... que les mollets de François étaient moins gros que les siens !

Signe révélateur des goûts du roi d'Angleterre, il a tenu à ce que fussent dressés devant son propre camp deux piliers ornés d'images représentant l'une Cupidon, le dieu de l'Amour, l'autre Bacchus, le dieu du Vin. Un choix que, pour sa part, François Ier ne peut qu'approuver. Le 7 juin 1520, suivis de leurs imposants cortèges, les deux monarques se rencontrent. Un témoin de l'événement raconte :

« Quand François et Henri ne furent plus éloignés l'un de l'autre que de quelques dizaines de toises, ils donnèrent des éperons à leurs chevaux, comme font deux hommes d'armes quand ils veulent combattre à l'épée ; et, au lieu d'y mettre les mains, chacun d'eux mit la main à son bonnet : aussitôt, l'un près de l'autre, ils s'embrassèrent et s'accolèrent moult doucement ; puis, descendirent dessus leurs coursiers et derechef s'accolèrent. Cela fait, se prirent par les bras pour entrer dans le beau pavillon tout tendu de drap d'or et avant d'entrer s'entrefirent plusieurs révérences et honneurs, car le roi n'y voulait entrer le premier, ni pareillement le roi d'Angleterre... et y entrèrent ensemble. »

Pendant un long moment, les deux hommes se mesurent du regard : Henri VIII est le plus gros des deux, François Ier est le plus grand, le plus élégant aussi, pour tout dire, le plus royal. Même si Henri lui fait bonne figure, cette première entrevue va infliger au souverain d'Angleterre un complexe d'infériorité, qui ne manquera pas d'influencer le cours des événements. En public, les hommes montrent des preuves multiples de leur bonne entente, du moins en apparence. Ils se donnent force accolades, se racontent moult plaisanteries, accompagnées de rires sonores. Presque chaque soir, c'est à qui organisera le banquet le plus fastueux. Bien entendu, les dames sont de la fête, et Louise de Savoie ne peut réprimer un geste de mauvaise humeur quand elle constate que son fils a convié à sa table la belle Mme de Châteaubriant.

— Croyez-vous que la place de cette femme soit céans, alors que vous traitez des affaires de la France avec Henri ? demande-t-elle au roi.

— La comtesse de Châteaubriant, comme les autres dames qui nous accompagnent, est présente pour donner du plaisir à nos débats, tels des bouquets de fleurs dont on garnit les tables...

Mais Louise, apparemment, n'aime pas les fleurs. Son « César », lui, les goûte fort et souvent, la nuit, quittant la tente qui l'abrite avec la reine, va rejoindre sa maîtresse. Ce n'est pas seulement la quête du plaisir qui le guide, il interroge aussi la jeune femme sur ses impressions :

— Croyez-vous, m'amye, que le roi Henri ne me fasse bonne mine qu'en apparence, alors qu'il se prépare à quelque traîtrise contre moi ? lui demande-t-il.

Françoise n'a jamais souhaité, jusque-là, se mêler des affaires du royaume. Elle ne manque pourtant pas de jugement quand elle répond :

— Je pense, mon cher Sire, qu'il vous faut vous méfier de cet homme. Quand ses yeux vous contemplent, ils reflètent parfois quelque lueur de fausseté...

Elle n'a pas tort de soupçonner l'Anglais : seule la perspective d'arracher des écus au roi de France lui a fait accepter l'entrevue du Camp du Drap d'or, mais il n'a nullement l'intention de rompre avec Charles Quint pour autant. D'ailleurs, en voulant par trop éblouir son partenaire, François a commis une erreur de psychologie. Henri est un être fruste, qui obéit à ses intérêts et ne s'embarrasse pas de sentiments ; il le démontrera de manière éclatante en faisant mettre à mort deux de ses épouses. Par ailleurs, il est cupide et sa cupidité se trouve exacerbée par son besoin d'argent. Voir étaler sous ses yeux la magnificence de François Ier, être le témoin de ses prodigalités développent en lui un double sentiment d'envie et de jalousie. Il a conscience qu'auprès du roi de France, pour utiliser le langage d'aujourd'hui, « il ne fait pas le poids ». Et comme il se rend compte qu'il ne pourra jamais rivaliser avec le Français, il en conçoit une rancune qui se révélera tenace.

François va commettre une autre faute à son égard. Aiguillonné par la présence des nombreuses dames qui accompagnent les délégations royales et désireux de leur faire admirer sa force, le roi d'Angleterre défie son homologue à la lutte :

— Mon bon frère, lui dit-il le 11 juin, je désire lutter avec vous.

Sans doute est-il convaincu de sa supériorité pour lancer pareille proposition. Fâcheuse inspiration de sa part, car le roi de France va lui infliger une correction spectaculaire. Un témoin de l'événement raconte :

« Et le roi d'Angleterre donne une attrape ou deux au roi de France. Mais iceluy, qui est fort bon lutteur, lui donna un tour et le jeta par terre. Et voulait encore le roi d'Angleterre lutter, mais cela fut rompu et il fallut aller souper... »

Bien qu'il se soit efforcé de sourire, sa posture sur le sol, allongé aux pieds de son vainqueur, a profondément humilié l'Anglais. Ce qui aggrave encore cette humiliation, c'est que les dames ont battu des mains vers François, la comtesse de Châteaubriant plus fort que toutes les autres...

Jamais Henri Tudor n'oubliera cet affront, et son comportement s'en trouvera là aussi influencé. Il eût été plus diplomatique de la part du roi de France de laisser gagner son rival, mais avec l'ardeur de ses vingt-cinq ans et parce que des yeux féminins le contemplaient, le roi n'a pas réfléchi plus avant. Comme l'écrit André Castelot, « faire mordre la poussière au roi d'Angleterre devant les deux cours réunies, et à la suite d'un croc-en-jambe, l'orgueil d'Henri VIII ne s'en remettra pas ».

Lorsque les deux monarques se séparent, le 24 juin, François Iᵉʳ, en fait d'alliance, n'a obtenu d'Henri VIII que de vagues promesses... qui d'ailleurs ne seront pas tenues. En revanche, le Tudor ne se fait pas prier pour accepter la pension annuelle de cent mille écus que François lui a promise en échange de son attitude amicale lors du proche affrontement qui opposera la France à l'empire d'Allemagne.

Cependant, les aléas de la politique pas plus que les expéditions guerrières n'empêchent François de poursuivre son idylle avec Françoise, tout en allant parfois satisfaire ailleurs son appétit de chairs nouvelles. Brantôme, encore lui, nous rapporte à ce sujet une aventure cocasse : une jeune et jolie femme venait d'arriver à la cour, « elle avait pris l'étendard du roi et l'avait planté dans son front avec une très grande humilité. Puis, elle lui avait demandé [à François] comment il voulait qu'elle le servît, ou en femme de bien et chaste, ou en débauchée, puisqu'en cela elle y était plus agréable que la modeste ; en quoi, il trouve qu'elle n'y avait perdu son temps et après le coup, et avant ; puis, lui fit grande révérence et le remerciant humblement de l'honneur qu'il lui avait fait, dont elle n'était pas digne, en lui recommandant quelque avancement pour son mari ».

Comme on le voit, pour les maris, l'honneur d'être trompés par le roi débouche le plus souvent sur une promotion sociale !

Les incartades de François parviennent aux oreilles de Françoise, qui manifeste son inquiétude, toujours en vers :

Car j'ai grand'peur que tu commences
À te servir des ailes d'inconstance.

Pour apaiser la jalousie de sa maîtresse et la rassurer sur ses sentiments, le roi use également du langage poétique :

Si mon regard s'adresse à aultre dame,
Souvent au lieu où vous êtes présente,
Ce n'est pourtant que je sente aultre flamme.

Françoise n'est qu'à moitié convaincue par les protestations de son royal amant. Comme elle n'a rien d'une victime soumise et consentante, elle a recours à la plus classique des vengeances : elle lui rend la pareille. Pour instrument de cette vengeance, elle choisit quelqu'un de l'entourage du roi, ce qui est à la fois un désir classique et le moyen le plus rapide de l'assouvir. C'est à l'amiral de Bonnivet que va revenir l'honneur de planter des cornes à son maître. Bonnivet, on s'en souvient, n'est devenu amiral qu'en raison de son dévouement absolu au roi ; mais la fidélité sur les champs de bataille n'a aucun rapport avec celle des champs de l'amour ! Françoise est une proie si tentante qu'on ne saurait y résister, ce qui va donner lieu à un incident burlesque, que nous raconte Brantôme, fidèle à son habitude d'écouter et de colporter les ragots : une nuit, au château d'Amboise, Françoise se trouve dans sa chambre en conversation galante avec le « marin d'eau douce », quand le roi a la malencontreuse idée de venir frapper à sa porte. Situation critique, mais la comtesse ne perd pas son sang-froid : vite, elle pousse Bonnivet dans l'immense cheminée. On est en été et la cheminée est encombrée de feuillages et de branches, sous lesquels l'amiral se dissimule tant bien que mal. Si le roi se présente chez sa maîtresse à une heure si tardive, ce n'est pas simplement pour lui faire la conversation... Or la comtesse vient déjà de passer avec Bonnivet deux heures au cours desquelles il n'a pas non plus été question de simples bavardages ! Heureusement, sur un certain chapitre, la jeune femme n'est jamais rassasiée, et le roi ne doit pas avoir lieu de se plaindre car il prolonge sa visite jusqu'aux premières lueurs de l'aube. Pendant ce temps, le malheureux Bonnivet, de sa cachette, assiste en témoin muet aux ébats du couple. Enfin, François est sur le point de partir « quand, nous dit encore Brantôme, il voulut satisfaire un besoin pressant. Faute d'autres commodités, le vînt faire dans ladite cheminée, dont il était si pressé qu'il en arrosa le pauvre amoureux en forme de chantepleur de jardin de tous côtés. Je vous laisse à penser en quelle peine était ce gentilhomme car il n'osait remuer ».

François s'est-il douté de quelque chose ? Quoi qu'il en soit, il n'est pas dupe de la conduite de sa maîtresse, qu'il a souvent surprise conversant en aparté avec Bonnivet. Lorsqu'il lui en a fait la remarque, Françoise ne s'est pas démontée et elle a répliqué avec effronterie :

« Je m'amuse avec lui. L'amiral pense être beau et tant plus que je lui dis, tant plus il le croit. » Cette affirmation semble suffisant pour rassurer François, à moins qu'il ne se soucie guère de la fidélité de sa favorite, comme en témoigne cette chanson qu'il se plaît à fredonner devant elle :

Ceux qui voudraient blâmer les femmes aimables
Qui font secrètement leurs bons amis cornards
Les blâment à grand tort, ce ne sont que bavards,
Car elles font l'aumône, et sont fort charitables,
En gardant bien la loi, à l'aumône donnée
Ne font, en hypocrites, la trompette sonner.

Ainsi se poursuit le roman d'amour de François et de Françoise, entremêlé de tromperies réciproques qui ne diminuent en rien leur ardeur ni les sentiments qu'ils partagent. Même si sa jalousie n'est pas sans motifs, la comtesse connaît la sensualité de son amant, qui le porte sans cesse vers de nouvelles conquêtes, et elle est bien obligée de s'en accommoder, quitte à chercher des compensations de son côté. Ce ne sont là finalement qu'incidents auxquels ni l'un ni l'autre n'attachent une importance exagérée. Ce que François apprécie le plus chez elle, c'est qu'elle ne sort jamais du rôle qui lui est attribué : elle est le « repos du guerrier », dans l'acception la plus agréable de l'expression.

Quand il la délaisse trop longtemps pour courir le guilledou, il a droit à une scène de ménage, mais il suffit qu'il proteste de sa tendresse pour que la colère de Françoise tombe aussi vite qu'elle est montée et qu'elle redevienne la femme aimante et passionnée qui lui convient.

Françoise de Châteaubriant est-elle intelligente ? Sans aucun doute. Ses connaissances vont au-delà de celles des femmes de son époque et le roi les apprécie à leur juste valeur, bien que la jeune femme ne cherche pas à l'impressionner par son esprit. Elle a compris qu'auprès d'elle le monarque cherchait à oublier les soucis de sa fonction, aussi prend-elle bien soin de ne pas interférer dans les affaires du royaume, comme le feront dans l'avenir certaines favorites royales. Ses rares incursions dans le domaine de la politique, elle ne les effectue qu'en faveur de sa famille. Comme on l'a vu, ses frères profiteront largement de sa position auprès du roi, principalement le maréchal de Lautrec, et les bévues que celui-ci commettra seront reprochées à sa sœur par l'opinion. Injustice de la rumeur publique qui porte des jugements sans toujours les vérifier. De toutes les favorites qui se succéderont dans les alcôves royales, Françoise sera l'une des plus discrètes, se satisfaisant de régner sur les sens du roi plutôt que sur sa politique.

Quant à François, sa liaison ne lui fait négliger aucun des devoirs de sa charge, ni renoncer à aucun de ses objectifs. On est stupéfait devant les activités multiples qu'il mène de front : ce bâtisseur, ce guerrier intrépide qui rêve de conquérir de nouveaux territoires, cet inlassable coureur de jupons, passera à la postérité pour l'ensemble de ses exploits sans qu'on sache lequel aura le plus contribué à sa gloire posthume. Sans doute n'est-il pas heureux dans toutes ses entreprises, et la France, sous son règne, traverse de sombres périodes, mais si elle en triomphe, c'est à son souverain qu'elle le doit. Finalement, il a réussi à repousser les assauts de son redoutable voisin Charles Quint, à mettre un terme aux convoitises d'Henri VIII sur le trône de France, à juguler les prétentions des grands du royaume et à surmonter les trahisons, dont celle de son propre cousin, le connétable de Bourbon. Mieux encore, en raison de son courage et de son habileté, c'est le souvenir de sa magnificence qui impose de la France une image aussi glorieuse.

71

Pour François, l'amour ne se limite pas à la possession des femmes, c'est un art qu'il pratique en virtuose. Comme il a le goût des belles personnes, il a celui des belles choses, et il élève ce goût au rang de culte. Quand il fait bâtir une nouvelle demeure et qu'il la pare de toutes les grâces, il y prend autant de plaisir qu'à parer l'une de ses maîtresses des plus beaux atours. Cette France de la Renaissance, cette France nouvelle qui va naître sous son impulsion, n'est pas le fruit d'un emballement, mais une des manifestations de sa propre volupté. Il est fou de ses châteaux comme il est fier de ses conquêtes féminines, et quand il désire que ses demeures accueillent de nombreuses jolies femmes, c'est dans le même esprit qu'il les décore de tableaux de maître, de sculptures antiques et d'objets précieux, ou encore que ses jardins voient pousser les fleurs les plus rares.

Les dames qu'il attire auprès de lui ne le regrettent certes pas, car il les comble d'attentions et veille à ce qu'elles ne s'ennuient jamais. Les plus hardies le suivent à la chasse au cerf ou au sanglier, dont il est un fervent pratiquant. Mais les autres ne sont pas oubliées. Presque chaque soir il y a bal au château, et le roi est le premier à entraîner ses cavalières pour danser le branle ou la gaillarde. Ou bien, s'accompagnant du luth, il donne la sérénade à ces dames, en chantant des couplets dont il est l'auteur, des paroles comme de la musique. Bien entendu, toutes ces chansons parlent d'amour :

Rien ne répond à mes voix,
Les arbres sont secrets, muets et sourds.
Où êtes-vous allées, mes belles amourettes ?
Changerez-vous de lieu tous les jours ?
Ah ! Puisque le ciel veut ainsi
Que mon mal je regrette,
Je m'en irai dedans les bois

Conter mes amoureux discours.
Où êtes-vous allées, mes belles amourettes ?
Changerez-vous de lieu, tous les jours ?

Quand on sait les pérégrinations de ce diable d'homme, on se demande où il trouve la force de satisfaire son incessant besoin d'action. Qu'il se rende dans l'un de ses somptueux châteaux ou qu'il campe dans une forêt afin de pouvoir chasser dès l'aube, il est partout à son aise, toujours d'humeur joyeuse, entraînant avec lui un petit noyau de fidèles. Parfois, incognito, il ne craint pas d'aller s'encanailler dans quelque bouge des faubourgs de Paris. Il faut croire que son anonymat est transparent car, dans son *Journal*, le Bourgeois de Paris ne cache pas sa réprobation :

« Pendant qu'il [le roi] était à Paris, il allait quasi tous les jours faire des momons en masque et habits dissimulés et inconnus. »

Toujours dans son *Journal*, le Bourgeois rapporte que trois clercs rencontrés dans un tripot par François se sont livrés à des réflexions insolentes sur Louise de Savoie, déclarant textuellement que « mère sotte gouvernait en Cour, et qu'elle taillait, pillait et dérobait tout ».

Si ces propos ne sont pas aimables, il n'en contiennent pas moins une part de réalité, car la mère du roi entend bien être « indemnisée » pour les années passées à construire l'avenir de son fils. Cependant, toutes les vérités ne sont pas bonnes à dire, surtout lorsqu'elles concernent une personne qui, comme « Madame Mère », ne plaisante pas avec l'étiquette, et les trois impertinents sont conduits à Amboise *manu militari* et incarcérés... Pas bien longtemps. François Ier, qui ignore la rancune, les fait promptement libérer.

Louise de Savoie a toujours sur son fils la même influence, et le rôle qu'elle joue dans les affaires du royaume reste prédominant, l'avenir le démontrera.

Non seulement François est conscient qu'il lui doit son étonnante ascension, mais surtout les liens de la plus tendre affection l'unissent à sa mère. Sans doute n'aimera-t-il jamais aucune femme comme il l'aime. De même, il voue à sa sœur Marguerite semblable attachement. Il est largement payé de retour, les deux femmes lui témoignant un dévouement de chaque instant.

Pourtant, les frasques du jeune roi ne vont pas sans les inquiéter. Bien qu'il soit robuste, Louise craint toujours pour sa santé. De temps à autre, elle lui fait la morale, mais c'est surtout pour la forme ; au fond d'elle-même, elle est plutôt fière des conquêtes féminines que son fils récolte sur son chemin. Elles n'en prend pas ombrage, car aucune de ces relations éphémères ne saurait battre en brèche son autorité. Que François continue donc de s'amuser, si tel est son bon plaisir... du moment qu'il ne se fatigue pas trop ! Un raisonnement que n'importe quelle mère pourrait tenir...

Louise sera beaucoup moins complaisante à l'égard de Françoise de Châteaubriant quand elle comprendra l'importance de son rôle dans la vie de son fils. La comtesse va donner à Louise du fil à retordre. Contrairement à ses habitudes, François, même s'il est infidèle, paraît sérieusement « accroché ». Il ne se passe pas de jour sans qu'il ne manifeste ses sentiments, souvent au moyen de billets rédigés en vers, tel celui-ci :

Afin que tu saches ma douce ardeur contrainte,
La plume est prise en laissant toute crainte,
La main royale, en délaissant le sceptre,
Ne pensant point qu'offensée peut être
En cet endroit la mienne autorité...
Car quand je pense au jour où je te vis,
Tout le premier qu'il me fut y bien avis
Connaître en toi plus que ne peut nature...
Assez de gens prennent leur passe temps

74

En divers cas et se tiennent contents ;
Mais toi seule es en mon endroit élue,
Pour réconfort de cœur, corps et vue...
Dont pour la fin te supplie et exhorte
En mon endroit demeure ferme et forte.
En ce faisant ne fut dessous la lune
De deux amants plus heureuse fortune.

Françoise est évidemment flattée d'éveiller semblable passion. Surtout, elle en est heureuse, et c'est sur le même ton qu'elle répond à son royal soupirant :

La grand'douceur qu'est de ta bouche issue,
La belle main blanche qui a tissue
Une épître qu'il t'a plu de m'envoyer
A fait mon cœur de joie larmoyer.
Il était ja de ton amour épris,
Mais maintenant qu'il est saisi et pris,
Tant qu'il n'est plus possible qu'on efface
Ta grand'beauté que veux-tu que je fasse ?
Si à me voir bien souvent tu labeures,
Crois pour certains qu'il n'est moment ni heures,
Si j'osais partout t'aller chercher,
Je le ferais, tant je t'aime et tiens cher.

De telles déclarations, jointes à la science amoureuse de Françoise, ne font qu'exacerber les sentiments et les désirs du roi. Il n'a déjà pas pour habitude de se montrer discret sur ses bonnes fortunes, et à présent la joie de posséder cette belle femme le fait renoncer à toute prudence. Il la fait nommer dame d'honneur de sa propre épouse. De cette façon, elle a ses entrées à la cour, et lui-même... a ses entrées auprès d'elle. La petite reine n'apprécie sans doute pas, mais, fidèle à sa ligne de conduite, elle garde pour elle son ressentiment. Louise de Savoie est beaucoup moins accommodante ; la présence de Françoise à la cour lui est d'autant plus désagréable que la jeune femme a été élevée auprès d'Anne de Bretagne... Anne de Bretagne qui fut l'ennemie de Louise et déploya tous ses efforts pour priver son César du trône ! Surtout, ce qu'elle ne peut accepter, c'est l'emprise que Françoise de Châteaubriant étend de plus en plus sur le cœur et les sens du roi.

Mère abusive, Louise ? Sans aucun doute, mais ce n'est pas la seule pensée qui l'anime. Chez elle, la politique et les sentiments sont étroitement mêlés, et elle redoute que l'influence de la comtesse ne soit néfaste et n'empêche François d'accomplir le grand destin auquel il est promis. Par ailleurs, les faveurs dont le souverain a comblé les frères de Françoise l'exaspèrent ; elle a pour la famille de Foix une aversion profonde qu'elle ne cherche pas à dissimuler. Mais Louise connaît son fils, elle sait qu'il est impossible de combattre ses désirs... tant qu'ils ne se sont pas épuisés d'eux-mêmes. Elle va donc faire contre mauvaise fortune bon cœur et attendre, non sans impatience, que le temps fasse son œuvre et que son César se lasse de la belle comtesse. Cependant, comme elle le confie à sa fille Marguerite, qui le rapporte dans une lettre, Louise est furieuse de la passivité avec laquelle Jean de Châteaubriant supporte son infortune conjugale :

— Cet homme n'a point d'honneur. Ce n'est point du sang de gentilhomme qui coule dans ses veines !

Marguerite essaie de lui faire remarquer que le malheureux mari ne peut quand même pas provoquer le roi en duel, Louise ne veut rien entendre :

— Le comte aurait pu exiger que son épouse regagne leur château. Il a eu peur de le faire... Il était juste bon à épouser une femme de la famille de Foix !

Quels que soient les sentiments qui l'animent, Jean de Châteaubriant demeure impénétrable. Lorsqu'il se trouve en présence du souverain, c'est en vassal respectueux qu'il se comporte. Quand il rencontre sa femme, ce qui arrive rarement car celle-ci est occupée à la cour par son service de dame d'honneur de la reine... et de maîtresse du roi, il ne fait jamais la moindre allusion à la situation. Mme de Châteaubriant peut donc vivre sa liaison adultère en toute tranquillité. Ce qu'elle fait, suivant le roi dans ses diverses pérégrinations.

En février 1521, la cour s'est transportée à Romorantin, où le roi possède un château... Un de plus. Il gèle à pierre fendre et une épaisse couche de neige recouvre les allées du parc. Un des gentilshommes présents propose un matin une bataille de boules de neige. François, qui aime tous les exercices du corps, accepte avec enthousiasme, et voici les jeunes gens qui se bombardent à qui mieux mieux. À mesure que le jeu se déroule, les esprits s'échauffent. Bientôt, aux inoffensives boules de neige succèdent d'autres projectiles plus percutants. Soudain, le comte de Saint-Pol, un des participants, lance un tison enflammé qui, par malchance, retombe sur la tête du roi. Le choc est violent et la blessure sérieuse. Elle va très vite s'envenimer au point que les médecins craignent pour la vie du souverain. Tout de suite, Louise s'est installée à son chevet et a interdit l'approche de sa chambre aux importuns, à commencer par Françoise de Châteaubriant, à laquelle elle a fait sentir que sa présence en pareil moment n'était pas souhaitable. La pauvre fille est désespérée, mais elle n'ose pas tenir tête à Madame Mère. Il ne lui reste plus qu'à quitter la cour et à retourner vers son mari, dans leur domaine de Châteaubriant. Cette fois encore, le comte se montre parfait : aucun reproche, aucune scène, Françoise reprend sa place au foyer comme si elle ne l'avait jamais quittée.

Cependant, la robuste constitution du Roi-Chevalier a raison du mal. Après quelques jours d'angoisse, le voilà sur pied, impatient de retrouver la femme qu'il aime. À présent qu'il la sait loin de lui, ne supportant pas cette idée, il n'a qu'une hâte, la revoir. Une circonstance dramatique va l'y aider : le couple Châteaubriant a une fille prénommée Anne, qui décède en quelques heures sans qu'on parvienne à déceler l'origine de son mal. Ne soyons pas surpris par cette impuissance de la médecine : elle est alors plongée, et pour trois siècles encore, dans les ténèbres de l'ignorance.

La disparition de la jeune Anne a ému toute la Bretagne et, au château, c'est un défilé ininterrompu de parents et d'amis venus exprimer leur commisération. Soudain, un soir, un visiteur inattendu se présente : le roi en personne. Les condoléances qu'il formule ne sont évidemment qu'un prétexte pour retrouver Françoise et la « récupérer ». Même s'il n'est pas dupe, une fois encore, le comte se comporte en hôte parfait, veillant à ce que son invité royal se sente au mieux dans sa demeure. Quand, au bout de quelques jours, François invite les Châteaubriant à l'accompagner à Amboise, le comte n'émet aucune objection et suit docilement le souverain... en compagnie de son épouse, bien entendu. Jean de Châteaubriant ne demeurera d'ailleurs que quelques jours à la cour. Avec le tact qui le caractérise, il s'empresse de regagner son domaine, laissant Françoise auprès du roi.

Le retour de la favorite, sa reconquête du roi et de ses privilèges ne sont pas du goût de Louise. Mais lorsqu'elle s'en ouvre à son fils, celui-ci lui oppose une fin de non-recevoir et elle est bien obligée de s'incliner... pour le moment. En effet, elle n'oubliera pas l'affront et se chargera de le faire payer à celle qui en est responsable. Mais nous n'en sommes pas là : Françoise de Châteaubriant a encore de beaux jours devant elle... et aussi de belles nuits !

Les deux amoureux vont d'autant mieux en profiter que le roi a trouvé une nouvelle mission pour le comte de Châteaubriant. Il s'agit de « se présenter aux États de Bretagne et de solliciter au nom du roi l'octroi d'un fouage »... autrement dit d'inviter les Bretons à voter un nouvel impôt ! Ce genre de mission n'a rien d'une sinécure, mais François, toujours diplomate, ne manque pas de faire observer au comte qu'en la circonstance il lui donne une grande preuve de confiance. Et Jean de Châteaubriant remercie le roi de cet honneur. Une fois encore il s'éloigne, laissant sa femme auprès du roi. Ce nouveau départ du mari ne manque pas de provoquer des quolibets ironiques de la part des mauvaises langues de la cour. François met fin aux rumeurs en déclarant haut et fort que « Madame de Châteaubriant n'eût pas manqué d'accompagner son époux si le service de la reine ne l'eût retenue au chevet de celle-ci... en considération de la mauvaise santé d'icelle ».

Il faut supposer que la reine Claude se rétablit rapidement puisque trois jours à peine se sont écoulés que la cour déménage pour se rendre à Blois, roi et reine en tête. Naturellement, Françoise est du voyage. Ne doit-elle pas demeurer en permanence à la disposition de Claude ? En fait, elle est surtout à la disposition de son mari... Celui-ci, arguant qu'il a besoin d'une personne de confiance pour recopier certains rapports qu'il a rédigés, a désigné pour cet office « du plus haut intérêt, Madame la Comtesse de Châteaubriant ». Comme par hasard ! La « mission » dont la comtesse est chargée la conduit évidemment à demeurer de longues heures enfermée dans le cabinet du roi, en tête à tête avec lui. Et comme, répétons-le, cette mission est confidentielle, nul n'a le droit de venir interrompre leurs « travaux » sans y avoir été invité !

Les deux amants vont même pousser la bravade encore plus loin. Un matin, selon son habitude, François Iᵉʳ part de bonne heure pour la chasse. Au lieu de chevaucher, comme à l'ordinaire, au milieu de ses compagnons, le roi galope à l'écart. Seul un jeune cavalier l'accompagne et demeure durant toute la chasse à la hauteur de son étrier. Ce qui intrigue les participants, c'est que le garçon garde son visage dissimulé par les plis de son manteau. Et voilà que, soudain, le roi et son suivant s'évanouissent dans la nature sans que l'on sache où ils sont passés...

On a compris que le jeune Nemròd qui accompagne le roi n'est autre que... Françoise de Châteaubriant, déguisée sous des vêtements masculins. Très bonne cavalière, elle n'a eu aucune peine à participer à l'expédition comme un chasseur expérimenté. Et si le roi et elle ont jugé bon de s'isoler, c'est qu'ils obéissaient à un plan précis. Un peu plus tard, toujours aussi discrètement, le roi et la favorite ont gagné une maison dans les bois, où ils resteront seuls et sans témoin tout le reste du jour.

Bien entendu, la rumeur de l'escapade royale s'est vite répandue, et l'identité du jeune « chasseur » n'a pas tardé à être révélée, provoquant les commentaires de toute la cour. L'incident, parvenu aux oreilles de Louise, provoque une scène entre elle et son fils, que Brantôme nous rapporte par le menu :

« Madame Mère, toute affaire cessante, se rendit auprès du roi et l'air chagrin lui fit connaître son profond mécontentement. "Mon fils, vous qui êtes promis au plus haut destin, comment pouvez-vous vous comporter comme un vilain n'oserait le faire ?" lui lance-t-elle. Mais celui-ci, au lieu de baisser la tête, riposte vertement, ce qu'il ne fait pas d'ordinaire lorsque sa mère lui adresse quelque admonestation :

« "Ma mère, j'ai conviction que vos intentions sont les meilleures du monde quand vous portez de mauvais jugements sur certains de mes actes, mais je vous répondrai qu'un roi, fût-il, comme vous le dites, promis à quelque destin supérieur, est aussi un homme. Comme tel, il lui appartient de se délasser des affaires de l'État en sacrifiant, quand il le peut, à son bon plaisir. Or donc, la comtesse de Châteaubriant est l'ornement de ce bon plaisir et je ne vois nulle raison de renoncer à en tirer quelque parti ! Et puis, ne suis-je votre fils ? Mes faiblesses ne sont-elles parmi les dons que vous m'avez octroyés à ma naissance ? Si je suis ainsi fait, il faut donc vous en prendre à vous, ma chère mère !" »

Ayant ainsi parlé[1], le roi tourne les talons et s'en va retrouver Mme de Châteaubriant !

Quant à la reine Claude, elle n'a rien trouvé à redire : la pauvre est accoutumée aux frasques de son mari et ne s'en émeut plus, dès lors que ce dernier continue de la traiter avec bonté et courtoisie.

Quelques jours plus tard, la cour au complet regagne Amboise, et nous n'avons nulle trace que François ait manifesté quelque remords de sa conduite.

Le comte de Châteaubriant, sa mission heureusement remplie, a regagné son domaine, où le roi lui a fait parvenir le témoignage de sa satisfaction... Oui, le comte continue d'ignorer avec soin les agissements extra-conjugaux de son épouse, jusqu'au jour où il jettera le masque d'indifférence qu'il avait arboré jusque-là.

---

1. Pour la clarté de certains propos, rapportés par des témoins de l'époque, il a paru nécessaire de les transcrire dans une forme plus proche de nous. *(N.d.l'A.)*

—

4

Et la fête cessa

Chambord, Blois, Fontainebleau, Azay-le-Rideau, Chenonceaux, Amboise, Chaumont, autant de merveilles architecturales élevées ou enjolivées sous le règne du Roi-Chevalier... Léonard de Vinci, Benvenuto Cellini, Dominique de Cortone, Jean Goujon, Pierre Lescot, Philibert Delorme, Pierre Trinquean, autant de noms inscrits au fronton de l'art... Autant de victoires pour François, mais celles-ci ne suffisent pas à combler son appétit de lauriers, pas plus que la conquête des jolies femmes ne saurait se substituer à celle des provinces. Il faut ajouter que, si le roi de France porte ses regards au-delà des frontières, ses « collègues » lorgnent aussi du côté de la France. Tandis que François poursuit le rêve italien, Charles Quint songe à la Bourgogne et Henri VIII a la nostalgie de ces provinces du Nord et de Normandie, sur lesquelles régnaient ses prédécesseurs pendant la guerre de Cent Ans. En même temps qu'il attaquera, François devra donc se défendre contre ses voisins menaçants et voraces. Et comme si ce n'était assez des périls extérieurs, un autre danger se profile, qui vient de l'intérieur, celui-ci. Le plus puissant personnage du royaume après le roi, le prince Charles de Bourbon, constitue par les fiefs qu'il détient un véritable État dans l'État. Connétable de France, gendre d'Anne de Beaujeu, la fille de Louis XI et la sœur aînée de Charles VIII, Charles de Bourbon, à la mort prématurée de sa femme, perçoit un héritage considérable qui renforce encore sa position et ses prétentions. Car il est conscient de son importance et l'affiche avec morgue. Pour François, le connétable de Bourbon est un vassal plutôt encombrant. Lors de l'entrevue du Camp du Drap d'or, où il a accompagné François, Henri VIII, qui n'a pas pour habitude de s'embarrasser de vains scrupules, a glissé dans l'oreille du roi de France ce conseil réaliste :

— Si j'avais un tel vassal, je ne lui laisserais pas longtemps la tête sur les épaules !

François se mordra bientôt les doigts de n'avoir pas écouté cet avis. Car des complications vont naître à propos de l'important héritage que recueille le connétable, si important que Louise ne se résout pas à le voir filer dans l'escarcelle de quelqu'un d'autre. Sous le prétexte qu'elle est également parente de la défunte, elle entend recevoir la manne providentielle à son seul bénéfice. François soutient évidemment les prétentions de sa mère, bien que celles-ci soient des plus contestables. Mais le roi ne prend jamais de décision politique sans en référer à cette maîtresse femme. Sans hésiter, il décide donc que les biens de la duchesse de Bourbon reviendront à la couronne de France... C'est-à-dire à sa maman. Bien entendu, Bourbon accepte mal ce qu'il considère comme un déni de justice, et ce conflit va le conduire au plus lamentable des gestes : trahir son pays, en concluant un accord secret avec Charles Quint. Moyennant de sérieuses compensations, le connétable, qui la veille encore protestait de son dévouement à François Ier, jette allègrement son honneur aux orties. Au terme de péripéties rocambolesques, Bourbon parvient à s'échapper de France.

Sortie peu glorieuse pour un prince de sang... Dans sa traîtrise il a entraîné plusieurs complices, qui, demeurés sur place, vont payer la facture pour lui. Parmi eux, un comte de Saint-Vallier, arrêté, jugé et condamné à mort. On le mène au bûcher et le bourreau va passer à l'action quand un héraut d'armes arrive à bride abattue, porteur d'un rescrit du roi commuant la peine du comte en prison à vie. Saint-Vallier est tellement soulagé qu'il embrasse tous les assistants, y compris le bourreau ! En descendant de l'échafaud, il s'écrie, dans une allusion plutôt directe aux raisons qui ont motivé la mansuétude royale :

— Dieu sauve le c... de ma fille qui m'a si bien sauvé !

Ah, qu'en termes galants ces choses-là sont dites ! Quand on sait que la fille en question n'est autre que Diane de Poitiers, la chose est encore plus piquante. Ainsi, au dire de son propre géniteur, Diane, avant de hanter le lit d'Henri II, aurait fréquenté celui de son père ? Certes, l'anecdote nous est rapportée par Brantôme, qui a tendance, c'est bien connu, à extrapoler, mais il ne sera pas le seul à colporter la rumeur : Victor Hugo n'hésitera pas à lui emboîter le pas, en affirmant que Saint-Vallier accusait le roi d'« avoir flétri, terni, souillé, déshonoré, brisé Diane de Poitiers », réaction bien différente de celle qu'il avait eue après avoir échappé à la hache du bourreau. Michelet, à son tour, semble accréditer la version du « sacrifice » de Diane quand il écrit :

« Ce qu'on a dit et qui est probable, c'est que la dame, qui avait vingt-cinq ans, beaucoup d'éclat, de grâce, avec un esprit très viril, alla tout droit au roi, fit marché avec lui. Tout en sauvant son père, elle fit ses affaires personnelles, acquit une prise solide et la position politique d'amie du roi. »

Enfin, autre témoignage important, celui de Lorenzo Contini, l'ambassadeur de Venise, toujours à l'affût du moindre potin, qui note dans ses carnets en 1552 : « Restée jeune, veuve et belle, Diane fut aimée et goûtée du roi François Ier et d'autres encore, selon le dire de tous ; puis, elle vint aux mains du roi Henri II. » Alors ? Diane a-t-elle enrichi de sa radieuse beauté le palmarès, déjà bien fourni, de François ? Rien ne permet de l'affirmer, la réputation de la dame plaide au contraire en faveur de son innocence. Selon Contini, c'est après son veuvage que Diane de Poitiers aurait fait les « délices » de François Ier, mais à cette époque elle avait accroché son destin à celui du futur Henri II, et elle n'était pas femme à compromettre son avenir par quelque imprudence. En revanche, il est certain que c'est elle qui obtint la libération de son père, grâce à une démarche directe auprès du roi de France, mais celui-ci était trop galant homme pour exiger une telle monnaie d'échange. Il a d'ailleurs lui-même mis fin à toutes les suppositions qui risquaient d'écorner l'honneur de Mme de Poitiers lorsque, à son sujet, il a écrit :

Belle à la voir,
Honnête à la hanter.

Ainsi a-t-il suffi de deux simples vers pour rendre justice à Diane. Même s'il l'a regrettée – nous le connaissons –, le père n'est pas passé où le fils passera...

Puisque nous en sommes au chapitre des rumeurs, il convient d'en citer une autre, tout aussi cocasse : si Louise de Savoie s'est montrée aussi intransigeante à l'encontre du connétable de Bourbon, c'était pour se venger de son indifférence. Il y aurait eu entre eux une aventure, trop brève au gré de Louise, qui se serait achevée par... la fuite du duc. Ce que l'orgueil de Madame Mère n'aurait pas supporté. Une fois Bourbon veuf, Louise lui aurait proposé de l'épouser, ce qui lui aurait permis de conserver une partie de l'héritage du duc. Mais il faut croire que la perspective de s'unir à la mère du roi était redoutable au point de lui préférer la perte d'une fortune... Bourbon refusa la main de Madame Mère. Notons, pour être complet, que Louise avait quatorze ans de plus que Charles de Bourbon, mais elle n'était pas femme à s'arrêter à semblable détail.

Cependant, en passant à l'ennemi, le connétable a rendu encore plus précaire la situation du royaume. La guerre s'est rallumée sur toutes les frontières. Allemands, Espagnols, Anglais se précipitent sur la France comme sur une proie. Loin de plier devant le danger, le Roi-Chevalier s'écrie avec superbe :

— J'ai toute l'Europe contre moi, eh bien, je ferai face à toute l'Europe !

Encore une fois, il n'entre pas dans le propos de cet ouvrage d'entraîner le lecteur sur les différents champs où la bataille va faire rage. Pour la compréhension de la situation, il est pourtant nécessaire de résumer brièvement les événements.

En septembre 1523, au sud-ouest de la France, ce sont les Espagnols qui tirent les premiers, s'efforçant de prendre Bayonne, heureusement sans succès. Pendant ce temps, quinze mille Anglais ont débarqué à Calais et ont fait leur jonction avec dix mille soldats allemands. Les deux armées réunies foncent à présent sur Paris. Or François se trouve à Lyon, préparant une fois de plus une expédition vers l'Italie. Ce n'est vraiment pas le moment, mais le roi a le rêve italien chevillé au corps. Il semble donc que rien ne pourra arrêter la marche de l'ennemi vers la capitale. À défaut de moyens militaires, on promène la châsse de sainte Geneviève dans les rues de Paris, dans l'espoir d'un nouveau miracle. Et ce miracle se produit : une épidémie de peste s'abat sur les troupes anglo-allemandes, les contraignant à une retraite précipitée vers leur base arrière et leur faisant perdre tout le bénéfice de leur campagne. Décidément, quand il s'agit de défendre Paris, on peut toujours compter sur sainte Geneviève !

Profitant du répit que le sort lui accorde en février 1524, François reprend le chemin de son cher pays de Loire. Il y retrouve sa mère, que le danger d'invasion a rendue malade, mais qui en quelques jours recouvre la santé. Il y revoit aussi Françoise de Châteaubriant. Les amoureux sont séparés depuis de nombreuses semaines, et leurs retrouvailles ne vont pas sans d'ardents transports... François fait part à la femme qu'il aime de son intention de repartir un jour prochain pour l'Italie, ce qui la plonge dans le désespoir. Elle ne supportera pas une nouvelle séparation, « sous peine de perdre la vie »... Pourquoi le roi ne l'emmènerait-il pas avec lui ?

La proposition séduit François : Mme de Châteaubriant, pour un guerrier tel que lui, quel merveilleux « repos » après le combat ! Mais Louise a vent de ce projet. Avec habileté, elle démontre à son fils qu'il commettrait une folie en emmenant sa maîtresse en campagne. Non seulement elle risquerait de le distraire de son souci principal, qui est de vaincre l'ennemi, mais encore il donnerait un fâcheux exemple à ses compagnons d'armes et perdrait toute autorité auprès d'eux. Comme toujours, François finit par se rendre aux arguments de sa mère. Quelques jours plus tard, lorsqu'il informe la comtesse de son intention, la jeune femme est accablée : comment pourra-t-elle vivre de longs mois, peut-être davantage, loin de l'homme qu'elle aime, le sachant de surcroît exposé aux risques de la guerre ? Selon Brantôme – mais, encore une fois, peut-on le croire ? –, elle ne se serait pas tenue pour battue et aurait repris son plaidoyer lors d'une entrevue... plus intime. En vain, François demeure sur ses positions.

Il est d'autant plus déterminé à partir pour l'Italie que les nouvelles qu'il en reçoit sont mauvaises.

Bonnivet, l'amiral d'opérette, est peut-être un joyeux compagnon mais c'est un bien piètre stratège. En quelques semaines, il a trouvé le moyen de reperdre le Milanais sous le double assaut des Espagnols et des hommes du traître Bourbon ; la conquête du duché est à recommencer. Mais un autre événement plonge François dans la désolation ; Bayard, le Chevalier sans peur et sans reproche, est frappé d'un coup d'arquebuse mortel pendant la retraite des troupes françaises en Italie. Tombé aux mains de l'ennemi, il meurt au bout de trois jours. Fidèle jusqu'à la fin à son image de grandeur, Bayard reçoit la visite de Charles de Bourbon :

— J'ai grande pitié de vous, en vous voyant en cet état, après avoir été si vertueux chevalier, lui dit le connétable félon.

La réponse de Bayard est digne de sa légende :

— Monsieur, il n'y a point de pitié en moi, car je meurs en homme de bien. Mais j'ai pitié de vous, de vous voir servir contre votre prince et votre patrie, et votre serment...

Informé de cette suite de catastrophes, à l'été 1524, François quitte Blois après avoir confié comme il se doit la régence du royaume à sa mère. Quant à Françoise de Châteaubriant, elle a dû faire contre mauvaise fortune bon cœur et, se trouvant privée de son amant... s'en est retournée à son mari. Ce qui constitue pour elle un pis-aller.

Tandis qu'il se dirige vers Lyon, le roi est rejoint par un messager qui lui apporte une bien triste nouvelle : la reine Claude se meurt. Elle a tout juste vingt-cinq ans... Depuis longtemps elle donnait des signes de fragilité, et sa santé s'était altérée durant l'été. Toujours aussi discrète, elle semble avoir attendu le départ du roi pour disparaître. Quand il apprend l'état dans lequel se trouve la malheureuse, le roi, atterré, déclare à son entourage :

— Si je pouvais la racheter par ma vie, je la lui baillerais de bon cœur ! Et n'eusse jamais pensé que le lien du mariage fût si dur et si difficile à rompre.

Réflexion qui peut surprendre quand on sait avec quelle ponctualité il a trompé la pauvre reine. Ses incartades ne l'ont cependant jamais empêché de lui accorder sa tendresse... ni de l'« honorer », comme en témoignent les enfants qu'il lui a faits. Son chagrin est donc sincère, comme nous le rapporte son ami Fleuranges :

« Le roi s'en fit un grand deuil, aussi fit Madame sa mère et toute la compagnie. Et sur ma foy, il avait raison, car c'estoit l'une des plus honnestes princesses que la terre portât oncques et la plus aimée de tout le monde, des grands et petits, croyant que si celle-là n'est au paradis, que peu de gens iront... »

François ne peut évidemment revenir sur ses pas. Louise de Savoie, qui avait quitté Blois, y retourne afin de recueillir le dernier soupir de sa belle-fille, mais elle arrive trop tard : Claude est morte, comme elle a vécu, dans l'effacement et la solitude. Consolation posthume, on se souviendra d'elle grâce à une prune à laquelle elle a donné son nom.

Comme on peut le constater en cette année 1524, la Providence, qui jusque-là avait comblé François Ier de ses bienfaits, paraît s'être détournée de lui. Si l'on veut avoir un résumé complet de l'état du pays à ce moment, il suffit de se reporter à ce qu'écrit un chroniqueur du temps, Nicolas Versoris, dans son *Livre de raison* :

« En ce temps, le royaume de France avait été persécuté de toutes les plaies et persécutions que Dieu a accoutumé d'envoyer au peuple sur lequel il a indignation. Premièrement furent envoyées les guerres, lesquelles ont commencé environ l'an 1520 et ont toujours duré depuis. Puis famine, pestilence, puis grandes eaux, vents et tremblements de terre en plusieurs pays, puis séditions intestines, comme le roi de France contre Monsieur de Bourbon et autres grands personnages. Outre, et qui pis est, survint l'erreur et venimeuse doctrine de lutter avec commotions et pilleries du peuple, foulé de tous côtés de tailles et larcins de gens d'armes. Après advint la misérable fortune universelle sur les blés déjà ensemencés du royaume au moyen de la gelée advenue au commencement de l'hiver précédent, puis la conspiration des ennemis qui avaient conspiré de brûler et gâter les villes du royaume... De ce temps, chacun pensait seulement à son profit particulier, même les personnages qui du devoir de leur office devaient penser à l'état de prospérité de la chose publique. »

Ces malheurs ne sont toutefois qu'un commencement. Bientôt, la France va subir l'une des catastrophes qui jalonnent son histoire, dont elle se relève pourtant chaque fois. Au même titre que Crécy, Poitiers ou Azincourt dans les siècles passés, que Waterloo ou Sedan dans les siècles à venir, Pavie figure au premier rang des désastres nationaux.

Cette bataille ayant fait l'objet de nombreux récits, bornons-nous ici à rappeler que, après avoir repris Milan, François Ier, sur le conseil de Bonnivet, met le siège devant Pavie. Un siège qui s'éternise. La chute de la ville semblant imminente, François voudrait rentrer en France où l'appellent d'autres périls. Une fois encore, Bonnivet intervient pour l'en dissuader et, une fois encore, le roi l'écoute. Décidément, il est bien mal inspiré, l'amiral ! Attaqués par un ennemi largement supérieur en nombre, pris en tenaille entre deux armées, les Français déploient des trésors d'héroïsme. François donne l'exemple en se battant comme un lion. Autour de lui, ses plus braves lieutenants tombent les uns après les autres : François de Lorraine, Toulouse-Lautrec, Longueville, le bâtard de Savoie, La Trémoille, le maréchal de Foix, le fameux maréchal de

La Palice, qui passera à la postérité non en raison de sa vaillance, mais à cause de quelques vers :

Hélas, La Palice est mort,
Il est mort devant Pavie.
Hélas, s'il n'était pas mort,
Il serait encore en vie.

Bonnivet lui-même, s'il manque de jugement, ne va pas manquer de grandeur. Contemplant le spectacle qui s'offre à sa vue, il s'écrie :
— Je ne saurais survivre à cette grande désaventure, pour tout le bien du monde. Il faut aller mourir dans la mêlée.

Et, bien décidé à payer de sa vie les erreurs qu'il a fait commettre à son roi, il relève son heaume pour mourir plus vite et se fait tuer.

Plus tard, lors de sa captivité, François Ier rappellera dans un poème ce que fut cette journée de deuil :

Autour de moi, en regardant, ne vis
Que peu de plus des miens...
Tout d'un coup, je perdis l'espérance
De mère, sœur, enfants, amis de France.

Son cheval a été abattu sous lui, il est entouré de cent ennemis, dont chacun se ferait une gloire de sa mort, mais le roi de France résiste toujours, avec le courage du désespoir. Repoussant la meute qui s'acharne contre lui, il aurait pourtant fini par succomber si le maréchal de Lannoy, qui commande les troupes ennemies, n'était venu à son aide. François est prisonnier mais il n'a jamais été aussi glorieux, et c'est fort justement qu'il enverra à sa mère ce message célèbre :
« Madame, pour vous avertir comme se porte le reste de mon infortune, de toutes choses ne m'est demeuré que l'honneur et la vie qui est sauve... »

Mais une autre épreuve lui est réservée. Quand il quitte le champ de bataille, parmi les milliers de morts gisant dans la plaine, il reconnaît ses plus fidèles compagnons. Ces vers témoignent de ce que fut alors son calvaire.

> *À quel regret je soutins à cette heure !*
> *Parmi le camp en tous lieux fut mené*
> *Pour me montrer çà et là promener.*

Commence alors pour lui une longue captivité qui va le mener en Espagne, Charles Quint, son vainqueur, souhaitant le tenir auprès de lui afin de mieux lui imposer ses volontés. Sur le navire qui le conduit là-bas, les pensées de François ne sont pas occupées par le seul échec qu'il vient de subir. Sa nature romanesque reprend le dessus, le doux visage de Françoise de Châteaubriant vient souvent le hanter, et c'est elle qui lui inspire ce vers, empreint de mélancolie :

> *En la grande mer où tout vent tourne et vire...*

Oui, ce qu'il y a de remarquable dans la personnalité de cet homme hors du commun, c'est sa puissance de vie, son amour des choses de l'existence, qui survit dans toutes les circonstances. Malgré le tragique de sa situation, il refuse de désespérer et envisage l'avenir avec confiance, décidé à cueillir les rares sourires que le destin lui accorde encore. En veut-on un exemple ? Débarqué en Espagne, il est d'abord reçu dans le palais de l'archevêque de Tarragone. Sa prestance, son allure impressionnent vivement les foules : ni sa démarche ni son comportement ne sont ceux d'un prisonnier tant il y a de majesté dans son attitude. On jurerait que ses malheurs le rendent encore plus touchant, donc plus séduisant... surtout auprès des femmes qui se trouvent sur son chemin. Une belle habitante de Valence s'approche de lui et, avec un sourire engageant, lui récite un compliment. Galamment, François s'incline et déclare :

— Madame, vous m'avez fait tant d'honneurs gracieux que je ne sais comment les récompenser.

En vérité, le roi saurait fort bien de quelle manière récompenser cette dame, et celle-ci ne demanderait pas mieux que d'accepter sa « récompense ». Hélas, cela est impossible : il ne faut quand même pas oublier que François est prisonnier, donc qu'il n'est pas maître de ses mouvements. Il doit donc continuer sa route. Le voici à Valence, où il est logé dans une propriété appartenant au gouverneur de la province, don Jeronimo de Cavanilles. La demeure a gardé des traces de l'occupation maure, les jardins croulant de fleurs et les jets d'eau jaillissant des parterres en témoignent. François s'y promène... surveillé par une garde discrète mais efficace. Ce qui n'est pas superflu car il a songé à une évasion et y songe encore. Au détour d'une allée, il se trouve nez à nez avec deux ravissantes personnes, les nièces de don Jeronimo. Quand le roi les invite à danser lors du bal organisé en son honneur par le gouverneur, pruderie espagnole oblige, elles refusent, effarouchées... Au grand regret de leur oncle, nullement choqué par l'audace de son prisonnier. Les deux donzelles ne tardent d'ailleurs pas à changer d'attitude. L'essentiel pour elles étant de sauver les apparences, à présent qu'elles sont sauves, vive la liberté ! Aucune certitude ne nous éclaire sur la suite de l'aventure, mais partant du principe que l'on ne prête qu'aux riches, on peut supposer que François ne s'est pas satisfait d'un simple flirt.

Ce n'est là qu'un entracte dans la captivité du roi de France. L'empereur Charles Quint, son vainqueur, n'entend lui rendre sa liberté qu'en échange de la Bourgogne, cette province qui figurait dans l'héritage de son ancêtre, Charles le Téméraire, et dont il ne s'est jamais résolu à accepter la perte. Les perspectives qui s'ouvrent devant François n'ont donc rien de réjouissant, car il a repoussé avec indignation le marchandage dont il est l'objet. Souvent, durant ses longues heures de solitude, ses pensées s'envolent vers la douce image de Françoise, toujours présente à son souvenir.

Triste pensée ! En quel lieu je t'adresse,
Prompt souvenir ennemi de paresse
Cause cette œuvre, en te faisant savoir
Que longue absence en rien n'a le pouvoir
Sur mon esprit, de qui tu es maîtresse.

La réclusion s'éternise. Le roi est à présent à Madrid, enfermé à l'Alcazar Real, dans une sorte de cachot étroit et sans lumière. À sa porte, jour et nuit, veille une garde nombreuse. Ainsi traité, pense Charles Quint, le prisonnier cédera plus facilement à ses exigences. Seule consolation pour François, le courrier étant autorisé, il en profite pour écrire à Françoise. Est-ce parce qu'il est privé de présence féminine, jamais il n'a tant chéri la belle comtesse. C'est du moins ce qu'il lui affirme :

Quoi qu'il en soit, amie, je mourrai
En votre loi, et là je demeurerai...

La jeune femme n'est pas en reste. Elle lui répond sur le même mode ; entre eux, c'est devenu plus qu'une habitude, une sorte d'étalon de leurs sentiments :

Las, si le cœur de ceux qui ont puissance
De vous donner très brève délivrance,
Pouvait savoir quelle est votre amitié,
Je crois, pour vrai, qu'ils en auraient pitié.

L'éloignement n'a pas diminué la vigueur de la flamme qui brûle dans le cœur de Françoise, elle souffre de plus en plus de la séparation à mesure que celle-ci se prolonge. Cette constance est remarquable ; jamais un roi de France et sa favorite n'auront été soumis à telle épreuve, et jamais une maîtresse royale n'aura eu l'occasion de démontrer ainsi la sincérité de son attachement.

Françoise de Châteaubriant a d'autant plus de mérite que, depuis le départ du souverain, elle est tenue en suspicion par la mère et la sœur du roi : Louise de Savoie, qui gouverne à présent le royaume d'une poigne de fer, et Marguerite d'Alençon, qui la seconde dans cette tâche, n'ont jamais considéré d'un œil bienveillant l'importance que prenait Françoise dans la vie du roi. Louise, tant que son fils était présent, devait bon gré mal gré s'accommoder de la comtesse, mais maintenant elle tient sa revanche sur une favorite dont l'existence lui porte ombrage. Elle ne va pas s'en priver, et nous verrons bientôt de quelle manière elle s'y prendra pour écarter l'importune.

Pendant ce temps, François Ier se morfond dans sa geôle ; la situation semble bloquée, la résolution de Charles Quint de faire céder le roi étant aussi inébranlable que celle du roi de repousser ses exigences. Tandis que les jours s'écoulent, mornes et sans espoir, François médite sur les caprices de la fortune, qui après avoir fait de lui un monarque tout-puissant le rabaissent au rang de simple otage. Son isolement lui est d'autant plus difficile à supporter que nul sourire de femme ne vient adoucir sa captivité. Il a sans aucun doute une part de responsabilité dans le sort qui l'accable. Cavalli, l'ambassadeur de la république de Venise, analyse judicieusement les traits essentiels de la personnalité du souverain :

« Je pense que les adversités de ce roi viennent du manque d'hommes capables de bien exécuter ses desseins. Quant à lui, il ne veut jamais prendre part à l'exécution, ni même les surveiller aucunement ; il lui semble que c'est bien assez de servir son rôle qui est celui de commander et de donner les plans ; le reste, il le laisse aux subalternes. »

Il est vrai que ses lieutenants ne sont pas à la hauteur des missions qui leur sont confiées, qu'ils soient incapables, comme le maréchal de Lautrec, son « beaufrère » de la main gauche, ou qu'ils le trahissent, comme le connétable de Bourbon. Il n'empêche qu'il leur a longtemps accordé sa confiance.

Alors, trop de légèreté de la part de ce si brillant personnage ? Vraisemblablement. Mais aussi trop de sollicitations de toutes sortes, trop d'appétit de vivre, trop de curiosité à satisfaire... Il est difficile d'être en même temps l'artisan d'une politique d'annexions territoriales et l'inspirateur de la Renaissance, vainqueur sur les champs de bataille et sur ceux de l'amour... Souvent, François Ier verra trop grand, dans bien des domaines, mais c'est en raison même de cette démesure qu'il demeure un grand roi dans la mémoire des Français.

Quoiqu'il se trouve face à des problèmes apparemment insolubles, François Ier n'a pas pour autant perdu son sens aigu de la politique ; sa situation est peut-être moins catastrophique qu'il n'y paraît. Il a en effet remarqué deux faits encourageants : si Henri VIII n'a pas profité des malheurs de la France pour l'envahir, c'est qu'il n'a pas voulu tirer les marrons du feu pour Charles Quint, rompant l'équilibre européen en faveur de l'empereur d'Allemagne. Par ailleurs, si Charles Quint lui-même n'a pas utilisé la mise hors circuit de François pour porter à la France un coup décisif, c'est qu'il n'est pas sûr de ses troupes, composées pour la plupart de mercenaires, dont les soldes sont payées avec de gros retards. De surcroît, Charles Quint, malgré sa toute-puissance apparente, n'est pas davantage assuré de ses arrières : son pays, contrairement à la France, n'est pas une nation unifiée mais une mosaïque de principautés, plus ou moins fidèles à leur suzerain.

Pourtant, à mesure que le temps passe, l'impatience de François s'exacerbe. La claustration est un supplice pour ce grand garçon épris de mouvement et d'espace et, surtout, avide de plaisirs de toutes sortes, principalement de ceux qu'il trouve auprès des femmes. Or, depuis qu'il est prisonnier, il est contraint à une abstinence qu'il ressent douloureusement. Ses intercessions auprès des geôliers pour qu'ils introduisent dans sa cellule quelque créature complaisante se sont heurtées à des consignes formelles. Non qu'il eût été difficile de trouver des « volontaires » pour ce genre de mission, mais Charles Quint, qui connaît la réputation de François, estime que les « restrictions » qu'il lui impose dans ce domaine peuvent aider à vaincre sa résistance.

Effectivement, le roi de France finit par accepter la revendication principale de son adversaire : la cession de la Bourgogne. Mais, toujours aussi habile, il a trouvé une parade. Avant de partir en campagne, il avait pris la précaution de dicter à son notaire une déclaration selon laquelle toute promesse ou tout traité arrachés par la force seraient nuls et sans valeur. Ce subterfuge lui permettra de renier allègrement sa parole lorsqu'il aura recouvré la liberté. Ne le blâmons pas de se montrer parjure, puisqu'il est animé par des considérations patriotiques.

Ainsi, après des semaines de palabres qui, par bien des côtés, évoquent des discussions de marchands de tapis, un accord est enfin trouvé qui impose à François de lourds sacrifices : outre la Bourgogne, il lui faut renoncer à ses prétentions sur l'Italie du Nord, abandonner ses fiefs en Artois et en Flandre, accepter que le duché de Milan soit attribué au traître Bourbon. Une autre condition est assez inattendue vu les circonstances : Charles Quint envisage de profiter du veuvage de François Ier pour lui faire épouser... sa propre sœur, Éléonore, elle-même veuve du roi de Portugal. Ce mariage constitue dans l'esprit de l'empereur d'Allemagne et roi d'Espagne, un gage d'entente future entre les deux pays. L'infante Éléonore est pour sa part tout à fait consentante. Durant la captivité de François, elle a eu l'occasion de le contempler secrètement à deux reprises, et l'examen a dû être favorable car la jeune femme se montre impatiente de voir le mariage conclu... avec la suite qu'il comporte. Quant à lui, François a été autorisé à entrevoir sa « fiancée », ce qui est quand même la moindre des choses. Toujours sensible à une présence féminine, le roi, à l'issue de l'entrevue, ne semble pourtant guère enthousiaste. Ce n'est pas sans raison, si l'on s'en rapporte au portrait de la princesse brossé par Brantôme :

« Lorsqu'elle était habillée et vêtue, écrit l'auteur des *Dames galantes*, elle semblait une très belle princesse, de belle et riche taille, mais qu'étant déshabillée, le haut de son corps paraissait si long et grand qu'on aurait cru une géante, mais tirant en bas, elle faisait penser à une naine, tant elle avait les cuisses et les jambes courtes. »

Malgré cette première impression peu engageante, François Ier est prêt à remplir... son contrat, mais chaque chose en son temps, pense Charles Quint. Le mariage de sa sœur avec son ennemi de la veille ne constitue en effet qu'un pion sur son échiquier. Il en possède un autre bien plus précieux : les deux fils de François demeureront en otages tant que le roi n'aura pas rempli les conditions du traité. Ce n'est pas sans une peine immense que François consent à ce sacrifice. Bien qu'il ait peu vu ses garçons depuis qu'ils sont au monde, la perspective de savoir les deux enfants prisonniers pèse à son cœur comme à sa conscience. Mais la raison d'État lui dicte de reprendre sa place à la tête du pays, sous peine de lui faire courir les plus graves périls, et, surtout, il ne supporte plus d'être privé de liberté. Pourtant, s'il a connu des moments pénibles, notamment durant son incarcération à Madrid, il a souvent reçu sur son chemin un accueil réconfortant. Le peuple espagnol, loin de le considérer comme un ennemi et de se réjouir de son triste sort, lui a au contraire souvent exprimé sa commisération. Le charme et la sympathie qui émanent de sa personne ne sont pas étrangers à ce phénomène ; nous avons déjà vu qu'une belle habitante de Valence lui avait fait les yeux doux et que les filles du gouverneur avaient été fort troublées par ses compliments. Ce ne sont pas là les seuls « ravages » qu'il a opérés. Une jeune femme de noble famille, Brillande de L'Infantado, est tombée éperdument amoureuse de François. Avec l'ardeur mystique dont sont capables les filles d'Espagne, elle s'est donnée de toute son âme à ce sentiment, que sans doute François lui-même n'a pas bien mesuré. Car il n'a fait qu'entrevoir cette demoiselle, et s'il s'est montré, comme à son ordinaire, galant et charmeur avec elle, leurs rapports se sont bornés à l'échange de quelques paroles et de regards. Mais cela a suffi pour allumer dans le cœur de la jeune personne les feux d'une passion dévorante. Mystère du cœur féminin, sachant que son amour est impossible mais refusant de jamais y renoncer, Brillande de L'Infantado, emportant son secret, ira enfouir son existence derrière les murs d'un couvent.

Sans aller jusqu'à ce paroxysme, la noblesse espagnole, dans son ensemble, n'a pas caché son admiration pour le Roi-Chevalier, ni sa réprobation pour la façon dont Charles Quint l'a traité durant sa captivité. Bien que le traité si humiliant pour la France soit signé le 14 février 1526, la détention se prolonge un mois encore mais se trouve quelque peu allégée en raison de cette signature. Ainsi François peut-il maintenant rencontrer plus fréquemment sa future épouse. Et, à chaque entrevue, Éléonore se sent un peu plus éprise de ce bel homme qui lui est livré grâce à une guerre victorieuse, tout comme la Bourgogne est livrée à son frère. Un jour, pour lui témoigner qu'elle le reconnaît comme son seigneur et maître, elle fait mine de baiser la main du roi, mais celui-ci, la redressant, la prend dans ses bras et lui lance :

— Madame, moi, c'est la bouche que je baise.

Et, joignant le geste à la parole, il lui plaque un long baiser sur les lèvres, ce dont la princesse ne semble nullement s'offusquer.

Une autre fois, ils prennent ensemble des confitures et se lavent les mains dans la même aiguière d'« eau odoriférante, sentant comme baume à la coutume des princes ». Sont-ils allés plus loin que ces jeux innocents ? Éléonore est évidemment tombée sous le charme de son époux potentiel ; et même si la jeune femme n'est pas une beauté, nous savons que, en présence d'un « jupon », François n'y regarde pas de si près. Il est pourtant à peu près certain que les futurs mariés ne prennent alors aucun « acompte » sur leur félicité à venir. François, quoique en principe libéré, est étroitement surveillé, et Charles Quint ne tient pas à ce que la vertu de sa sœur soit écornée avant le mariage.

Mais le badinage avec Éléonore ne saurait satisfaire les sens exigeants du roi. Profitant de sa semi-liberté, il va connaître une aventure qui pour être brève ne manque pas de « couleur ». Une lettre du 2 janvier 1526, adressée par le secrétaire du roi, Gilbert Bayard, au futur connétable de Montmorency, fournit à ce sujet quelques détails savoureux.

« J'ai trouvé une jeune et belle esclave pour M. de Brion, que sa maîtresse veut vendre parce qu'elle est trop "réquébrade", c'est-à-dire amoureuse ; je ne vois pas grand moyen d'en trouver d'autre. »

Une belle esclave trop amoureuse, ce n'est pas pour faire peur à François, au contraire, et la jeune esclave, finalement, n'est pas acquise par ce M. de Brion, mais sert un autre maître plus prestigieux, si l'on en croit ce billet adressé par un proche du roi à sa sœur, Marguerite d'Alençon. Rendant compte de l'emploi du temps de son maître, ce gentilhomme écrit :

« Votre petite noire est tous les matins en son lit, qui lui fera plaisir. »

Voilà qui ne prête à aucune équivoque et ne doit pas nous surprendre de la part d'un homme dont nous connaissons le tempérament impétueux. Il est vrai que Michelet, étudiant plus tard ces deux lettres, arrivera à la conclusion que la « petite noire » en question serait une jeune chienne de cette couleur que Marguerite aurait fait parvenir à son frère pour le distraire.

À l'appui de son interprétation, Michelet argue que François Ier, diminué par la rude captivité qu'il a subie, est à bout de forces au moment de sa libération et aspire davantage au repos qu'aux bonnes fortunes. L'explication est ingénieuse, certes, mais correspond mal au comportement habituel du monarque. Il ne va d'ailleurs pas tarder, comme on le verra un peu plus loin, à démontrer qu'il n'a rien perdu de sa fougue amoureuse en se lançant dans une liaison nouvelle. Ce n'est donc pas un crime de lèse-majesté de supposer que la fameuse « petite noire » appartenait plutôt au genre humain qu'à la gent canine...

Le 15 mars 1526, presque un an jour pour jour après le désastre de Pavie, voici donc François sur la rive espagnole de la Bidassoa, jetant vers la France des regards impatients. Il a dû laisser en « gage » sa fiancée espagnole, que Charles Quint n'autorisera à partir qu'une fois ratifié le traité qui doit marquer la cession de la Bourgogne. Si Éléonore est navrée de se séparer de son promis, François ne manifeste que des regrets polis. En revanche, ce qui le touche davantage, c'est de devoir sacrifier ses deux fils sur l'autel de la raison d'État en en faisant les garants de sa bonne foi... ou plutôt de sa mauvaise foi, puisqu'il a bien l'intention de ne pas respecter un engagement qui lui a été arraché par la force.

Louise de Savoie n'a pas non plus hésité à livrer ses petits-enfants, tant est grande sa hâte de retrouver son César. Sans doute aussi aspire-t-elle à se décharger du fardeau des affaires. Depuis plus d'un an, avec un sens aigu de la politique, elle maintient vaillamment l'unité du royaume contre vents et marée, louvoyant entre les obstacles. Menacée à l'extérieur par les convoitises conjuguées de Charles Quint et d'Henri VIII, elle a dû aussi, à l'intérieur, faire face à la fronde des parlementaires, tout heureux de profiter de l'absence du roi pour essayer d'accroître leur participation à la direction du pays. Aux uns et aux autres, Louise a opposé tantôt sa fermeté, tantôt son habileté, mais il est temps pour elle de passer le relais à son fils.

Quant aux petits princes jetés en holocauste, nul ne semble trop se soucier d'eux. Si le dauphin François, malgré son jeune âge, s'efforce de se montrer digne de son rang, son cadet, Henri, a bien du mal à cacher ses larmes. Au moment où les deux enfants montent dans la voiture qui doit les conduire sur les bords de la Bidassoa, une belle femme blonde, qui fait partie de la suite de Madame Mère, prise de compassion pour le jeune Henri, se penche sur lui et lui donne un baiser. Sans que l'un et l'autre en aient conscience, ce baiser vient de sceller à jamais l'union d'Henri II et de Diane de Poitiers...

Les modalités de l'échange des prisonniers ont été fixées avec minutie : la barque conduisant le roi en France doit croiser, au milieu du fleuve, celle qui mène les enfants royaux en Espagne. Ainsi, François n'aura même pas le droit de serrer dans ses bras les deux petits sacrifiés.

103

Mais, en mettant le pied sur le sol de France, il se laisse aller à sa joie et, puisqu'il a fait le vœu d'aller rendre grâce à Dieu dans la cathédrale de Bayonne, il saute sur un cheval et le lance au galop, jetant aux échos ce cri de triomphe : « Je suis encore roi ! »

5

Naissance d'une passion

Pour accueillir son fils à Bayonne avec tout l'éclat que justifie l'événement, Louise de Savoie a composé avec soin l'équipage qui doit escorter François. Il y a certes le cortège officiel, formé de deux cents gentilshommes, quatre cents archers et les cents-suisses de sa garde personnelle, mais il y a aussi le cortège officieux, que le roi doit apprécier bien davantage. Connaissant l'intérêt de son fils pour le beau sexe, Madame Mère s'est fait accompagner par une cohorte de jolies filles peu farouches, agréable « vivier » dans lequel le roi n'aura qu'à puiser pour se consoler de sa longue abstinence. Si Louise a pensé aux menus plaisirs de son fils, elle a soigneusement exclu du voyage la favorite en titre. Elle espère qu'après un an de séparation les liens unissant le roi à la jeune femme se seront distendus et qu'il se tournera vers d'autres amours. Au roi, qui s'étonne de l'absence de sa maîtresse, Louise, un peu embarrassée, explique que « Mme de Châteaubriant a préféré demeurer en Bretagne auprès du comte, son époux ».

Pour éloigner définitivement Françoise du cœur du souverain, Madame Mère a mis dans son jeu un autre atout qui lui permettra de parachever son mauvais coup : elle va utiliser ce qu'on peut nommer un « produit de substitution ». En l'occurrence, une toute jeune fille de dix-huit printemps, blonde comme les blés, frêle comme une liane, avec des yeux d'un bleu candide à damner un saint... Ce que, d'ailleurs, elle s'apprête à faire, avec cette nuance que François Ier n'est pas un saint, loin s'en faut. Sa mère s'étant empressée de lui présenter la donzelle, le roi la contemple avec une gourmandise qu'il ne songe pas à dissimuler. Elle est bien tentante, cette petite personne qui semble s'offrir sur l'autel des désirs royaux. Pour mieux la décrire, faisons appel au témoignage d'un chroniqueur du temps :

« Anne est douce et fraîche. Elle possède un teint de porcelaine, des yeux clairs comme ciel de printemps, des cheveux d'or et un corps d'une finesse de princesse de conte de fées... »

Le poète Clément Marot, témoin privilégié des amours royales, abonde dans le même sens quand il écrit à propos de la jeune fille :

Dix et huit ans, je vous donne
Belle et bonne,
Mais à votre sens rassi
Trente-cinq ou trente-six
J'en ordonne.

Dix-huit ans, alors que la maîtresse officielle du roi en a trente et un, c'est là un sérieux danger pour cette dernière. D'autant que la nouvelle venue dispose de la complicité de Louise de Savoie. Seule ombre au tableau, si la jeune fille répond au prénom d'Anne, elle est pourvue d'un nom de famille à la consonance fâcheuse : Pisseleu. Mais ce n'est là qu'un inconvénient mineur, d'autant qu'un jour le roi effacera cet état civil burlesque et fera de sa nouvelle favorite une duchesse d'Étampes.

Anne de Pisseleu est de petite mais de bonne noblesse. Son père, Guillaume de Pisseleu, seigneur d'Heilly, s'est marié trois fois. Mariages qu'il a largement honorés puisqu'il a procréé la bagatelle de... trente-quatre enfants ! Ils sont si nombreux que leur père en a perdu plusieurs de vue !

Par sa grand-mère, Anne est apparentée à la branche capétienne issue du roi Louis le Gros. En dépit de cette famille prestigieuse, le seigneur d'Heilly se trouve dans l'incapacité de l'établir, sa fille étant la dernière de la « nichée ». Elle devra donc se débrouiller avec la dot que la nature lui a prodiguée. Selon une rumeur qui court, « elle a été dressée de bonne heure à chasser le roi ». La même rumeur ajoute qu'elle est la « plus savante des belles et la plus belle des savantes ».

Cette réputation n'est pas usurpée. Sous son sourire, limpide comme une eau de source, elle dissimule une ambition dévorante, une âme calculatrice et une absence résolue de scrupules. Malgré son jeune âge, elle a déjà pris pour habitude d'écouter sa tête plutôt que son cœur. Elle est sans aucun doute plus rouée que Françoise de Châteaubriant ; si cette dernière est une brave fille, ce n'est pas le qualificatif que l'on peut appliquer à Mlle de Pisseleu. Elle manie en virtuose l'art de cacher son jeu, et François, qui n'est pourtant pas un innocent, sera toujours convaincu qu'elle l'aime sans arrière-pensée. Rien ni personne ne pourra jamais dissiper cette illusion. Ainsi commence le règne d'une nouvelle favorite, un règne qui durera vingt et un ans et auquel seule la mort du roi mettra fin.

Comme le souhaitait Louise, le roi prend tout de suite feu et flamme pour la nouvelle venue et le lui fait savoir... en vers, comme il se doit.

Dieux immortels, rentrez dans vos cieux ;
Car la beauté de cette vous empire !

Par petites étapes, la cour se dirige vers Cognac, la ville natale de François. Naturellement, Anne est du voyage. Déjà, le roi ne saurait se passer d'elle ; la chère petite a fait ce qu'il fallait pour qu'il en fût ainsi. Il semble bien en effet qu'elle n'a pas attendu l'arrivée en Charente pour couronner la flamme royale. Elle a vite compris qu'elle ne devait pas tergiverser si elle voulait affirmer son emprise sur un partenaire aux sens aussi exigeants. L'opération a été facilitée par Louise de Savoie, décidément d'une complaisance à toute épreuve, qui a fait en sorte de ménager un tête-à-tête prolongé entre son César et celle qu'il convoite. Dès l'étape de Bordeaux, l'affaire est réglée, pour la plus grande satisfaction du roi. Malgré son âge tendre, Anne de Pisseleu n'ignore rien des pratiques qui peuvent attacher un homme à une femme. En tout cas, François y puise une vigueur nouvelle. Il est plus que jamais décidé à renier la promesse faite à Charles Quint et à ne pas lui livrer la Bourgogne. L'empereur d'Allemagne s'étrangle de fureur ; il réalise trop tard l'erreur qu'il a commise en relâchant son prisonnier, même s'il détient de précieux otages, les deux jeunes princes et la future reine de France, Éléonore.

Celle-ci, impatiente de consommer son mariage avec François, s'est jetée aux pieds de son frère, le suppliant de la laisser le rejoindre, mais Charles Quint s'y refuse obstinément. Très déçue, la pauvre Éléonore confie dans une lettre sa peine à François, mais celui-ci se moque bien de la déconvenue de sa future épouse : il est tout à sa passion pour Anne de Pisseleu. Il est même tellement épris qu'il est parfois inquiet de ne pouvoir apporter à la jeune personne tout le bonheur qu'elle mérite, ainsi qu'en témoigne ce billet rédigé en prose... Une fois n'est pas coutume :

« Ne pouvant voir votre vie contente, je ne puis que désirer la fin ennuyeuse de celui qui réputerait sa mort félicité, mais qu'elle vous donnât contentement. »

Anne ne tient nullement à voir périr son soupirant ; ce serait tuer la poule aux œufs d'or. Elle s'empresse donc de rassurer le roi : elle est parfaitement heureuse, même si elle se trouve compromise par une liaison qui est maintenant un secret de polichinelle. La discrétion n'étant pas le propre du roi, il n'a pas fait mystère de sa victoire et, dans son entourage, tout le monde est à présent au courant.

Et voilà que, au moment où le cortège royal s'apprête à quitter Bordeaux, un coup de théâtre se produit. Alors qu'on la croyait toujours en Bretagne, Françoise de Châteaubriant débarque inopinément. On imagine la fureur de Louise de Savoie et la contrariété du roi, qui, pris entre deux feux, ne sait quelle contenance adopter. Sa première réaction est classique : il s'efforce de donner le change à Françoise en faisant mine d'être ravi de son arrivée.

— Vous me voyez bien heureux de votre présence, m'amye, lui dit-il. Je me languissais de vous savoir si loin de moi.

Françoise répond du tac au tac :

— Si cela n'avait tenu qu'à moi, je fusse accourue sans reprendre mon souffle, mais j'en fus malencontreusement empêchée.

L'allusion aux manœuvres de Louise de Savoie est directe, et le roi ne s'y trompe pas. Pris de court, il essaie de gagner du temps, mais Anne de Pisseleu est fine mouche. Elle ne se sent pas encore assez sûre de son pouvoir car elle connaît l'inconstance de son amant. Aussi va-t-elle jouer serré. Dans les billets qu'elle adresse au roi, elle utilise à son tour la versification.

Te souvient-il que pour toi
Tous mes amis et chacun délaissé,
J'ai oublié en tout ce qui leur touche
Pour obéir aux désirs de ta bouche.

Elle ne se borne pas à soupirer en vers et n'hésite pas à faire au roi de véritables scènes de ménage, ce qui ravit la vanité de François. Il y voit une preuve de l'attachement de la jeune femme à sa personne.

— Mon beau sire, je vois clair et je sais bien ce que cette femme a dans l'idée : celle de vous attacher à elle par tous moyens qu'il est aisé à deviner. Et vous qui n'y voyez pas plus loin que le bout de votre nez, vous allez tomber dans ce piège et négliger un cœur qui vous aime et qui soupire...

Flatté, le roi proteste de son amour et jure à sa maîtresse que la comtesse de Châteaubriant ne compte pas pour lui... Tout en tenant le même discours à Françoise. Cependant, en arrivant à Angoulême avec toute la cour, Mme de Châteaubriant découvre le pot aux roses. Sa réaction est celle d'une femme blessée, mais blessée dans son amour davantage que dans sa fierté. Contrairement à Anne, comme l'avenir le démontrera, les sentiments qu'elle voue au roi sont sincères. Elle aime François non parce qu'il est le roi, mais parce qu'il est celui qu'elle a choisi. Le chagrin qu'elle éprouve lui inspire des plaintes dont elle accable son amant :

De retrouver, mon ami, je te prie,
Pour contenter l'esprit de ton amie,
Car, sans cela, aise ne puis avoir.

Les hommes infidèles n'aiment pas les reproches, qu'ils soient rois ou simples bourgeois. L'insistance de Françoise contrarie le souverain, d'autant que les lamentations de la jeune femme sont loin de s'interrompre, comme le démontre ce nouveau billet :

Cette pauvre, déçue et misérable amante,
Par trop avoir aimé tourmentée et dolente,
Et te pensant ami, t'ai trouvé variable...

Elle non plus n'hésite pas à faire des scènes, mais alors que les scènes plaisent à François lorsqu'elles viennent d'Anne, elles l'exaspèrent quand c'est Françoise qui s'y livre :

— Quand cesserez, ma bonne, plaintes et jérémiades ? Ne croyez-vous point que l'état où se trouve le royaume ne m'occupe point assez pour que vous y adjoigniez les vôtres ?

— Mais, mon doux ami, c'est que je vous aime, proteste la comtesse, et je ne puis supporter la pensée que vous me délaissez pour une autre.

Son amour pour François la conduit à des initiatives qui vont se retourner contre elle. Dans le vocabulaire d'aujourd'hui, nous dirions qu'elle « s'accroche », ce qu'elle ne devrait pas faire : la place qu'elle défend ne lui appartient plus, mais elle ne veut pas en convenir. Refusant de regarder la vérité en face, elle adopte la tactique la plus maladroite, celle qui consiste à dénigrer le physique de sa rivale. Fidèle à ses habitudes, en toutes circonstances, c'est en vers qu'elle décoche ses traits :

> *Blanche couleur est bientôt effacée,*
> *Blanche couleur en un an est passée,*
> *Blanche couleur doit être méprisée,*
> *Blanche couleur est à sueur sujette,*
> *Blanche couleur n'est pas longuement nette,*
> *Mais le teint noir et la noire couleur*
> *Est de haut prix et de grande valeur.*

Comme on le voit, pour pourfendre celle qui a pris sa place dans le cœur et la couche de l'homme qu'elle aime, Françoise ne met pas de gants ! Cette attitude déplaît fort au roi. Il ne supporte pas qu'on s'en prenne aux charmes de celle qui, à présent, a toutes ses faveurs. Son mécontentement va lui inspirer une réplique qui, pour le moins, manque d'élégance, en dépit de la forme poétique qu'elle emprunte :

C'est bien assez me donner à connaître
Et non endroit que vous ne voulez plus être.
Et pour la fin ne me peux reprocher
Si ce n'est que t'ai voulu tenir trop cher,
Dont pour le temps qu'avec toi j'ai passé,
Je peux dire : « Requiescat in pace. »

Mais Françoise n'éprouve nulle envie de « reposer en paix », comme l'y invite son amant avec si peu de courtoisie. Elle entend au contraire ne pas renoncer à la position de favorite, qui pour ne pas être officielle n'en a pas moins été la sienne durant plusieurs années. Ce qui met un comble à son ressentiment, c'est que François Ier, comme il le fait avec Charles Quint à propos de la Bourgogne, fuit les explications. Avec habileté, il évite de jamais se trouver face à face avec la comtesse. Le cortège royal étant sans cesse en mouvement, François profite du voyage pour aller des uns aux autres et échapper ainsi aux reproches de la délaissée.

Enfin, un soir, Françoise de Châteaubriant surprend son amant, seul dans son cabinet de travail. Impossible pour le roi d'emprunter un chemin de traverse, il va falloir qu'il choisisse une fois pour toutes. C'est justement ce qu'il n'a nulle envie de faire, ce brave François, dont les appétits charnels sont tels qu'ils lui permettent de satisfaire deux maîtresses. Promettant à Françoise monts et merveilles, il lui propose d'occuper la seconde place dans ses faveurs. Même si cette offre l'humilie, Françoise n'a pas le courage de la repousser, pas le courage de s'éloigner du roi. Du moins pour le moment. Pendant quelque temps, François mène donc une existence sentimentale plutôt bancale. Tout en accordant la préférence à Mlle de Pisseleu, il continue d'entretenir des relations intimes avec Mme de Châteaubriant. Il va même faire encore mieux quand il aura récupéré sa nouvelle épouse, la reine Éléonore. Non sans ingénuité, il explique lui-même le mécanisme de cette cohabitation dans un petit poème qui au moins a le mérite de la franchise :

> *D'en aimer trois, ce m'est force et contrainte.*
> *L'une est à moi trop pour ne l'aimer point ;*
> *Et l'autre m'a donné si vive atteinte*
> *Que plus la fuis, plus sa grâce me point.*
> *La tierce tient son cœur uni et joint,*
> *Voire attaché de si très près au mien,*
> *Que je ne puis, ne veux n'être point sien.*
> *Ainsi amour me tient en ses détroits,*
> *Et me soumet à toutes vouloir bien,*
> *Mais je sais bien à qui le plus des trois.*

Ce dernier vers est évidemment une allusion précise à la préférence du roi pour Anne, sans que cette préférence l'empêche toutefois de combler les deux autres de ses bienfaits. Nous avons dit que les ressources de son tempérament le lui permettent, mais ce ne sont pas là les seules raisons de ce partage : François possède un cœur tout aussi généreux que son corps. Françoise lui a donné tant de preuves de son attachement, elle l'a attendu avec tant de constance durant sa captivité, les lettres qu'elle lui adressait reflétaient une telle ferveur qu'il se sent des obligations morales à son égard... Puis, en dépit de sa trentaine – à cette époque, une femme de trente ans n'est plus considérée comme étant jeune –, la beauté brune de la comtesse est toujours bien appétissante...

Quant à Éléonore, que François Ier cite dans son poème et à laquelle il rendra des hommages réguliers, en dépit de son manque d'attraits, elle est l'épouse et à ce titre possède des droits que le roi, respectueux des usages, ne saurait contester.

Ce qu'il y a de remarquable, c'est que le Roi-Chevalier mène une vie amoureuse aussi intense alors que, dans le même temps, les événements politiques mobilisent son attention. Ces activités multiples font l'admiration d'un chroniqueur du temps qui en est le témoin : « Dans toutes ses amours, écrit-il, le roi François Ier n'abandonna ni son royaume, ni ses affaires, ni sa conservation, ni sa grandeur, en se rendant nullement esclave aux dames. Mais les aimait avec discrétion et modérément. »

Il est vrai que si le Roi-Chevalier ne sacrifie pas les affaires du pays à ses affaires de cœur, la discrétion et la modération dont l'affuble le chroniqueur ne sont pas dans sa nature. De même qu'il a étalé au grand jour sa liaison avec Françoise de Châteaubriant, il ne dissimulera pas ses amours avec Anne de Pisseleu. Les faveurs qu'il va faire pleuvoir sur elle et sa famille en seront la démonstration éloquente. Les épîtres enflammées qu'il lui adresse, et que la belle montre fièrement à tout un chacun, témoignent que la « modération » est bien loin de l'esprit du roi, qui, au contraire, exhale ses sentiments :

Étant seulet auprès d'une fenêtre,
Par un matin, comme le jour poignait,
Je regardai Aurore à main senestre
Qui à Phébus le chemin enseignait,
Et d'autre part m'amye qui peignait
Son chef doré, et vit ses luisants yeux.
Dont un jeta un trait si gracieux
Qu'à haute voix je fus contraint de dire :
Dieux immortels, rentrez dedans vos cieux,
Car la beauté de cette vous empire.

Ajoutons, pour être complet sur ce chapitre, que le roi est si peu discret que, grâce à ses bavardages, nous avons connaissance des conversations qu'il eut avec Françoise de Châteaubriant comme avec Anne de Pisseleu, conversations dont certains extraits ont été rapportés plus haut.

Cependant, quelles que soient les péripéties de sa vie amoureuse, le roi a d'autres soucis, le principal consistant à se tirer de l'impasse dans laquelle il se trouve. Comment manquer à ses engagements vis-à-vis de Charles Quint sans passer pour parjure auprès de l'opinion ?

Arrivé à Cognac en compagnie de sa mère, il y retrouve Marguerite, sa sœur bien-aimée, et tous trois mettent au point la tactique qui permettra de ne pas lâcher la Bourgogne. Il s'agit d'abord de gagner du temps et, pour cela, la meilleure arme, c'est encore la mauvaise foi. François Iᵉʳ et ses conseillers vont largement en user. L'envoyé de Charles Quint, Louis de Praëdt, se voit opposer une fin de non-recevoir sous prétexte que ses pouvoirs n'ont pas été vérifiés. Désarmé devant ce procédé, le malheureux ambassadeur galope vers Séville pour rendre compte de sa déconvenue à Charles Quint. Celui-ci pique une nouvelle colère et expédie à François un autre émissaire, le maréchal de Lannoy. Lequel n'est pas plus heureux : François a encore perfectionné ses roueries et il va en fournir la démonstration. Rendre la ville de Hesdin à Charles Quint, comme il s'y est engagé ? Le roi de France ne demanderait pas mieux... Hélas, lors de la bataille de Pavie, dans la mêlée, il a perdu le sceau de France. Il ne peut donc envoyer au commandant de la place de Hesdin un ordre en bonne et due forme. Dès qu'un nouveau sceau aura été fabriqué, le roi pourra alors céder la ville, mais pas avant... Et encore, pourquoi devrait-il rendre Hesdin alors que sa future épouse, la reine Éléonore, est toujours retenue en Espagne ? Une reine n'est-elle pas plus importante qu'une ville ?

Lannoy met ensuite sur le tapis l'épineuse question de la Bourgogne : « Je ne demande pas mieux que de livrer la Bourgogne à l'empereur-roi », affirme avec effronterie François, qui soulève aussitôt une autre difficulté :

— Ce qu'il y a de fâcheux, c'est que les Bourguignons prennent fort mal la pensée de sortir de la mouvance française. J'espère qu'avec l'aide de Dieu je conduirai cette affaire de sorte que je les ferai condescendre à ma volonté.

Bien entendu, dans l'esprit du roi, il ne s'agit que d'atermoiements destinés à donner le change. En réalité, il espère bien que Charles Quint finira par se lasser d'attendre et se contentera d'une importante rançon, que le roi est tout disposé à lui verser en échange de la libération de ses deux fils. C'est également en lui faisant miroiter son aide financière que François s'efforce de rallier à sa cause Henri VIII, dont il connaît la ladrerie. Tandis qu'il mène en bateau les envoyés de Charles Quint, le roi de France en effet est en train de constituer contre lui une ligue de nations que les appétits de l'empereur commencent à inquiéter.

Outre le roi d'Angleterre, qui ne tient pas à voir l'équilibre européen rompu au bénéfice de l'empereur, le pape Clément VII tremble lui aussi pour ses États... Et pour les revenus qu'ils lui rapportent. La république de Venise partage les mêmes angoisses au sujet de son avenir. Il est vrai que les déclarations imprudentes de Charles Quint, ses désirs d'hégémonie universelle ont de quoi justifier les alarmes de ses voisins. Après la victoire de Pavie sur son rival le plus redoutable, l'empereur s'est cru le maître du monde et à commencé à parler en tant que tel. Voilà qui ne peut que servir les intérêts de François Ier et réunir autour de lui des alliés de circonstance.

Cette activité politique intense, pour laquelle Louise et Marguerite lui fournissent une aide précieuse, ne le détourne pas de ses plaisirs favoris : la chasse « sous toutes ses formes ». Au grand dam du nonce du pape, qui rapporte au souverain pontife :

« Mettez que le roi en vient à parler de chasse et d'autres choses, il change de raisonnement, il devient tout autre, se transforme, se tourne tout entier vers ces plaisirs proches et faciles à réjouir, plus agréables à ceux qui l'entourent. Ceux-ci sont portés volontiers à lui enlever les pensées graves de l'esprit, à ne pas se laisser envelopper dans la guerre, de sorte que la plupart du temps, les paroles nous restent, et les effets vont aux plaisirs. Je ne veux pour cela le taxer de mauvaise volonté, mais seulement de naturelle inclination qui le porte là où on ne besognerait pas en ce moment. »

François a quelque excuse à étancher sa soif de plaisirs : n'oublions pas que ceux-ci lui ont été refusés durant sa longue détention, et il entend bien se rattraper. Les lamentations du nonce ne sont donc pas en mesure de lui faire renoncer à son mode de vie. D'autant que la présence d'Anne de Pisseleu à ses côtés se fait de plus en plus sentir. En quelques semaines, elle a fait des progrès foudroyants dans le cœur du roi. En dépit de son jeune âge, elle manifeste une science étonnante dans les exercices de l'amour, mais elle règne aussi sur l'esprit du roi grâce à la finesse de son intelligence. Elle dispose en outre d'un atout précieux, qui la servira tout au long de sa liaison avec François : elle ne l'aime pas et peut donc se comporter en fonction de ses seuls intérêts sans jamais être à la merci d'une pulsion sentimentale qui pourrait leur nuire...

Ensorcelé par sa jeune maîtresse, le souverain ne voit pas plus loin que le bout de son nez. Convaincu qu'Anne est folle de lui, il ne s'aperçoit pas que, dans ce jeu, c'est la souris qui a attrapé le chat. Alors, vive les plaisirs et vive l'amour ! Le roi partage son temps entre la construction de ses châteaux, la chasse... et l'amour d'Anne. On pourrait penser que les affaires du royaume le laissent indifférent. En vérité, il n'en est rien, François laisse pourrir la situation, escomptant que Charles Quint finira par se contenter des deux millions qu'il lui propose en échange de ses deux fils. Le calcul se trouvera justifié, même si l'empereur-roi, pour le moment, ne décolère pas. Devant le comte de Calvimont, que François Ier a envoyé à Tolède, où il réside alors, Charles Quint s'emporte.

— Le roi de France m'a trompé ! s'écrie-t-il. Je ne lui rendrai pas ses enfants pour de l'argent ! S'il compte les avoir par force, je vous assure qu'il n'y parviendra pas tant qu'il restera pierre sur pierre dans un de mes royaumes, fussé-je forcé de reculer jusqu'à Grenade ! Le roi n'a point agi en vrai chevalier, et en vrai gentilhomme, mais méchamment et faussement. Je vous demande comme à son ambassadeur qu'il me garde la foi qu'il m'a donnée de redevenir mon prisonnier s'il ne satisfait pas à ses promesses. Plût à Dieu que ce différend eût à se débattre en nous deux, de sa personne à la mienne, sans exposer tant de chrétiens à la mort !

Semblant ignorer la colère de son ennemi, le roi de France, après son séjour en Charente, a regagné sa chère Touraine et se rend sur le chantier du futur chef-d'œuvre architectural de son règne, le château de Chambord. Pour faire jaillir de terre ce joyau de pierre, près de deux mille ouvriers travailleront pendant des années. Tandis que le roi surveille avec amour les progrès de la construction, Anne se tient à ses côtés, donnant déjà l'impression qu'elle est chez elle. François lui demande son avis à tout propos et, afin de plaire à leur maître, les dignitaires de la cour, à leur tour, couvrent d'honneurs la favorite.

Pourtant, dans le même temps qu'il fait d'elle une véritable « reine de la main gauche », François, incorrigible et infatigable coureur de jupons, va parfois demander à d'autres partenaires de lui « apporter mignardises et câlineries ». Ainsi a-t-il repris ses visites au château de Clos-Lucé, où la belle Babou l'accueille toujours avec la même complaisance. Elle n'est pas la seule à accorder au roi des moments de plaisir. Nous savons déjà que, pour François, les barrières sociales ne sont pas infranchissables dès l'instant où, de l'autre côté, se tient une créature séduisante.

Au hasard de ses chasses dans les forêts tourangelles, il s'arrête au matin dans une taverne. Ses compagnons et lui sont affamés et réclament avec des cris joyeux de quoi combler leur appétit. Bientôt, les victuailles s'amoncellent devant eux, le roi se montrant, ici comme ailleurs, le plus glouton ; l'atmosphère qui règne autour de la table pourrait faire penser à un repas décrit par Rabelais. Et voici que, soudain, tous les participants à ces bruyantes agapes se taisent, leurs regards fixés sur une jeune fille qui apparaît sur le seuil de la pièce. Dans la lumière du petit matin qui éclaire les lieux d'un rayon doré, on dirait qu'un ange vient de surgir. Cette cascade de cheveux blonds qui inonde ses épaules, ces yeux d'un bleu de porcelaine, cette grâce à se mouvoir qui fait de chacun de ses pas une danse... Oui, c'est vraiment un être tombé du ciel qui pétrifie d'admiration cette assemblée de buveurs. Le roi est le premier à réagir :

— Ah ça, mignonne, approchez sans crainte... Comment vous nomme-t-on ? demande-t-il à la donzelle.

— On me nomme Janneton, je suis la fille du tavernier et je viens demander à votre seigneurie ce qui lui goûterait pour dessert, répond-elle.

Elle a parlé d'une voix ferme, nullement impressionnée, semble-t-il, par l'assistance. Elle n'a d'ailleurs pas reconnu son interlocuteur, mais celui-ci a pu constater que la voix de la belle était à l'unisson de sa personne : bien timbrée, aux inflexions harmonieuses. Chacune de ses paroles trouble François. Comment la fille d'un humble aubergiste peut-elle réunir tant de grâce et de distinction ? Voilà une énigme que le roi se promet de résoudre promptement... À son profit, bien entendu.

En effet, deux jours se sont à peine écoulés que le voici de retour à la taverne des bois, cette fois en la compagnie d'un seul écuyer, auquel il a recommandé de respecter son anonymat. Janneton, avec qui il s'entretient longuement, ne paraît pas soupçonner son identité. Elle bavarde librement, fixant sur le roi son beau regard et ne s'effarouchant pas des compliments qu'il lui adresse.

Comme François revient encore le jour suivant, Janneton s'aperçoit de l'impression qu'elle a produite et en semble ravie. La belle est coquette, et la prestance, l'élégance de son admirateur flatte son orgueil. Et quand le roi, brûlant ses vaisseaux, lui propose un rendez-vous pour le lendemain soir, elle accepte sans se faire prier. Sans doute a-t-elle déjà compris à qui elle a affaire, ce qui ne l'empêche pas de simuler la surprise et la confusion lorsque François lui révèle la vérité.

Mais cette confusion prendra très vite fin : Janneton retrouve le roi dans un rendez-vous de chasse appartenant à un gentilhomme de la suite royale, qui s'est fait un plaisir de le laisser à la disposition de son maître.

Et lorsqu'au petit matin François regagne son château d'Amboise, on peut supposer qu'il a été satisfait de son « entrevue » avec la fille de l'aubergiste. Quant à ce dernier, il ne met aucun obstacle à ce que sa fille... vive sa vie. La qualité du postulant aux charmes de la belle Janneton n'est évidemment pas étrangère à la compréhension du bonhomme. À plusieurs reprises, en effet, Janneton va rencontrer le roi, sans que son géniteur y trouve à redire. Une nuit même, François va jusqu'à introduire la belle Janneton dans ses appartements du château d'Amboise... ce qui lui vaut une scène en bonne et due forme de la part d'Anne de Pisseleu :

— Vous êtes infidèle à la foi jurée ! s'écrie-t-elle, au comble de la colère au point qu'elle en oublie que François ne lui a rien juré du tout.

Avec une belle franchise – une fois n'est pas coutume –, le roi plaide coupable :

— Même s'il arrive que mes regards se tournent vers d'autres femmes, tu sais que je n'ai d'yeux que pour toi.

Cet argument paradoxal ne convainc pas la jeune femme ; pendant plusieurs jours, elle va bouder. Ce que le roi ne peut supporter. Son caractère heureux ne peut s'accommoder d'une maîtresse morose, et surtout il aime Anne profondément. Pour désarmer sa mauvaise humeur, il use d'un argument d'une efficacité absolue : ajouter quelques bienfaits à ceux dont sa maîtresse a déjà bénéficié. À chaque fois qu'il croira avoir quelque chose à se reprocher, Anne recevra une nouvelle faveur, et ce geste suffira à lui restituer sa belle humeur.

Contrairement à Françoise de Châteaubriant, elle ne se borne pas à régner sur les désirs du monarque, elle se mêle activement des affaires du royaume. Charité bien ordonnée, elle commence par faire prospérer les siennes et celles de sa famille. En anticipant quelque peu sur la chronologie des événements, on peut dresser un inventaire sommaire des biens qu'elle arrachera à la prodigalité de son amant et... au trésor de l'État, par la même occasion. Elle reçoit deux châteaux, l'un à Étampes, l'autre à Limours, un hôtel rue de l'Hirondelle à Paris et de nombreuses terres dans les environs de la capitale, notamment à Chevreuse, Angerville, Egreville, Dourdan, La Ferté-Allais, Bures, Bretoncourt, pour ne citer que les principales, ce qui n'est déjà pas si mal. De surcroît, afin d'arrondir ses fins de mois, Anne profite de sa position privilégiée auprès du roi pour se livrer à de fructueux trafics d'influence. Sans doute ne pèse-t-elle pas à proprement parler dans les décisions politiques importantes ; sur ce chapitre, François Ier n'aime pas qu'on lui dicte sa conduite. Mais si Anne n'agit pas sur les événements, elle agit sur les individus. Incapable de résister aux désirs de sa maîtresse, François se laisse imposer par elle des nominations regrettables. « Comme elle écoutait de préférence les humbles flatteurs, elle avait rarement à recommander les plus vaillants capitaines, les magistrats les plus honnêtes, les financiers les plus désintéressés », nous dit Desgardins, dans son livre *Anne de Pisseleu, duchesse d'Étampes, et François Ier.*

Comme on peut s'en douter, la nouvelle favorite ne se prive de rien. Brantôme nous rapporte qu'elle aime à porter des « robes de drap d'or frisé, fourrées d'hermine, des cottes de toile d'or incarnat escorgetées et dorées avec force pierreries ».

Pendant que François tombe un peu plus chaque jour sous sa coupe, que devient la délaissée, la tendre et sincère Françoise de Châteaubriant ? Aussi surprenant que cela puisse paraître, François n'a pas complètement rompu avec elle. D'abord pour une raison qui, chez lui, prime toutes les autres : elle lui plaît toujours. Le temps qui passe n'a pas altéré une beauté qui trouble encore le roi. Mais il obéit aussi à un autre motif : François est intelligent et subtil, même s'il se laisse souvent entraîner par ses désirs, il ne perd pas sa lucidité, du moins jamais complètement. Il connaît la nature des sentiments que la jeune femme lui porte et il en est ému. C'est pourquoi il lui a proposé de garder auprès de lui la « seconde place » dans son existence. Une proposition qui l'a révoltée sur le moment, mais qu'en définitive elle a acceptée, dans l'espoir de reconquérir bientôt la première. En accédant au désir de l'homme qu'elle aime, Françoise s'inflige une rude épreuve : même si le roi prend certaines précautions, vivant dans son entourage, la comtesse est témoin de ses relations avec Anne et elle en ressent une profonde amertume. Pourtant, elle tient, espérant contre tout espoir. Parfois, elle songe à abandonner la lutte, à s'éloigner ; il suffit alors d'une visite du roi, visite souvent suivie d'une nuit frénétique, pour qu'elle renonce à son projet et s'accroche à ses chimères.

Ce jeu impitoyable durera près de deux années. Même si la présence de la comtesse de Châteaubriant déplaît fortement à Anne, François, lui, y trouve avantage. Naturellement, il lui jure que Françoise n'est pour lui qu'une amie, rien de plus. Comme argument, il affirme qu'il ne peut priver sa mère des services de l'une de ses principales dames d'honneur. Mensonge éhonté ! Pour sa part, Louise de Savoie verrait sans déplaisir la comtesse s'éloigner définitivement de la cour ; elle ne la conserve auprès d'elle que sur l'insistance de son fils. Comme si le ressentiment de Louise de Savoie et d'Anne de Pisseleu ne suffisait pas, Françoise de Châteaubriant doit faire face également à celui de Marguerite, la sœur de François. Veuve du duc d'Alençon, elle vient de se remarier avec le roi de Navarre, Henri d'Albret, de plusieurs années son cadet. Ils auront une fille, prénommée Jeanne, qui sera la mère du futur Henri IV. Dès les débuts de la liaison de son frère avec Françoise, Marguerite s'est opposée à cette dernière, éprouvant pour elle une sorte de jalousie instinctive.

Cette hostilité quasi générale, jointe à l'insolence d'Anne de Pisseleu et à l'indifférence de François, aura finalement raison de l'obstination de Françoise. À bout de forces, elle finit par céder la place. Avant de s'éloigner, elle fait part au roi de son état d'âme au moyen d'un poème qui se termine par ces vers significatifs :

Mais qui eût su penser pouvoir trouver au miel
Tant d'amertume venin, d'amertume et de fiel.

Puisque son amant ne veut plus d'elle, il ne lui reste plus qu'à aller retrouver... son mari et leur domaine de Châteaubriant. Comment s'étonner qu'après dix années de cocuage l'époux délaissé réserve à l'infidèle un accueil glacial ? Détail piquant, ce n'est pas tellement d'avoir été la maîtresse du roi que Jean de Châteaubriant reproche à sa femme, c'est de ne plus l'être ! Si l'épouse a perdu la faveur royale, le mari l'a perdue aussi, par voie de conséquence ! Or, le comte s'était habitué aux avantages attachés à sa condition de mari trompé ; devoir s'en priver lui brise le cœur, et il ne dissimule pas son mécontentement à celle qu'il juge responsable de ce regrettable état de faits.

Devant la mine revêche et l'absence de chaleur qui accueillent son retour au bercail, Françoise se sent désemparée. Et à qui se plaint-elle de cette situation ? Au roi, bien entendu :

— À mon arrivée, j'ai eu le plus étrange accueil qu'il fût possible, et n'ai jamais su trouver moyen qu'on m'ait dit une seule parole. À ce que j'ai pu entendre, si vous donnez à connaître à mon mari que vous trouvez mauvaise la façon de son comportement, je crois que les choses se radouciront...

On croit rêver : l'ancien amant est prié de réprimander l'époux et de l'inviter à faire bon visage à la femme adultère qui retourne au foyer après des années d'errances extraconjugales ! Bon garçon, ayant conservé pour Françoise une sorte de tendresse, le monarque y consent. Contraint et forcé par la volonté du maître, M. de Châteaubriant grimace un sourire à l'infidèle et la vie reprend son cours au château de Châteaubriant. Mais tout n'est pas dit entre François et Françoise, nous le verrons bientôt.

Tandis que se déroulent ces péripéties tragicomiques, la situation politique du royaume demeure toujours aussi inquiétante. Pendant les années qui suivent le retour d'Espagne de François, Charles Quint et lui campent sur leurs positions. Le roi de France refuse toujours de céder la Bourgogne et refuse de même de revenir à Madrid pour se constituer prisonnier, puisqu'il n'a pas tenu sa parole. Aux envoyés du roi-empereur, François réplique avec hauteur :

— Je ne sache pas que l'empereur ait jamais eu ma foi. En quelque guerre que j'aie été, il sait que je ne l'y ai jamais vu ni rencontré. Quand j'ai été son prisonnier, gardé par quatre ou cinq cents arquebusiers, malade dans mon lit et à la mort, il ne lui a certes pas été malaisé à me contraindre... mais d'une manière fort peu honorable. Quant au traité, je me tiens assez justifié du peu d'obligations que j'en ai, vu que je ne fus mis en liberté ni avant ni depuis avoir signé le traité jusqu'à ce que j'ai été en mon royaume.

François, en vrai chevalier, est prêt à faire appel au jugement de Dieu en affrontant son rival en combat singulier. Voilà qui ne tente guère Charles Quint ; contrairement à son homologue français, il ne s'est jamais risqué sur un champ de bataille, et il ne tient pas à commencer avec un guerrier aussi redoutable que François. Il préfère donc renouveler ses réclamations, arguant encore une fois de la promesse formulée par le roi de France. Ce dernier, de son côté, se doutait bien que Charles Quint se déroberait à l'idée de se mesurer à lui ; il cherche uniquement à gagner du temps, pariant sur la lassitude de son adversaire.

Tandis que les deux monarques se défient par messagers interposés, leurs troupes respectives poursuivent leurs opérations. Résumons-les brièvement : le maréchal de Lautrec, qui assiège Naples, met en fuite les Espagnols, qui se retirent vers le sud de l'Italie. Le frère de Françoise de Châteaubriant fournit alors une nouvelle démonstration de son incapacité en renonçant à les poursuivre, bien qu'il dispose de la supériorité numérique. Comme toujours hésitant, il demeure sur place, attendant on ne sait quoi. De son côté, François prend une décision malheureuse : en choisissant de soutenir Savone, cité rivale de Gênes, il s'aliène le fameux amiral génois, Andrea Doria, qui passe avec armes et flotte au service de Charles Quint. Mais l'armée française n'est pas au bout de ses malheurs : voici que le choléra s'abat sur elle et creuse dans ses rangs des pertes considérables. Lautrec disparaît le 15 août 1528, en quelque sorte trop tard pour que ses bévues puissent être réparées. Bientôt, des vingt-cinq mille hommes que comptait l'armée il n'en reste plus que quatre mille, dont la plupart n'atteindront pas l'Italie du Nord.

En Italie du Nord, d'ailleurs, les affaires de la France ne vont pas mieux ; ici aussi, c'est un incapable – le comte de Saint-Pol – qui commande, l'incapacité semble décidément un brevet de commandement dans l'armée française ! Au mois de juin 1529, Saint-Pol est fait prisonnier par les Impériaux, ce qui n'est pas un cadeau ! Cette fois, il semble bien que le rêve italien soit terminé. Seule consolation pour François Ier, le connétable félon de Bourbon a trouvé la mort en 1527, lors du siège de Rome, que ses troupes avaient mises à sac. Autre événement qui, sur le moment, ne retient pas l'attention outre mesure : pour se concilier les bonnes grâces du pape Clément VII, François Ier a décidé de fiancer Henri, son second fils, à Catherine de Médicis, une petite-cousine du pontife. Le prince est toujours prisonnier en Espagne, rappelons-le, avec son frère aîné, le dauphin François. Henri n'étant pas alors l'héritier du trône, comment pourrait-on prévoir que sa future épouse soutiendra le royaume de France à bout de bras durant trente années ?

En attendant, la guerre s'enlise ; il faut en sortir. Deux femmes vont se charger de cette tâche : Louise de Savoie, la mère providentielle de François, ce qui ne surprendra pas, et Marguerite d'Autriche, la tante de Charles Quint, ce qui est plus étonnant. Deux femmes... Décidément, que ce soit pour une raison ou une autre, le destin de François Ier est toujours marqué du signe féminin.

6

Jeu de dames

En dépit de ses origines et de son sang Habsbourg, Marguerite d'Autriche, par le cœur, est proche de la France : sans une histoire d'amour avortée, elle aurait été reine de France. Elle avait trois ans lorsque, bien qu'elle fût la petite-fille de son plus féroce ennemi, Charles le Téméraire, le roi de France, Louis XI, la destina à son héritier, le futur Charles VIII. En conséquence, elle fut élevée à la cour de France, dans le giron d'Anne de Beaujeu, fille aînée du roi et tête pensante de son règne. Plus tard, l'odyssée de Marguerite fera l'objet d'un poème :

> *Moi, Marguerite, de toutes fleurs le choix*
> *Ai été mise au grand verger françoys*
> *Pour demeurer près des fleurs de lys...*

Mais la politique commande et ne s'embarrasse pas de scrupules. Charles VIII, devenu roi, est marié par sa sœur à Anne de Bretagne... laquelle avait été mariée auparavant, par procuration, à l'empereur Maximilien d'Autriche... Le propre père de Marguerite ! Ne croirait-on une scène de vaudeville ? En tout cas, il y en a une qui ne trouve pas la situation comique, c'est la petite Marguerite. Elle a neuf ans lorsque Charles VIII lui fait ses adieux et elle éclate en sanglots... Un chagrin d'amour à son âge ! Voilà une enfant précoce... Avoir été ainsi bernée et humiliée lui a laissé dans le cœur les traces d'une profonde amertume, une amertume qui s'est vite transformée en haine. Aussi a-t-elle soutenu fermement les prétentions territoriales de son neveu, Charles Quint.

Au début, elle fait donc un accueil des plus réservés à l'envoyé de Louise de Savoie, venu lui proposer une entrevue avec la mère du roi de France. Mais Madame Mère n'abandonne pas facilement un projet lorsqu'elle l'a conçu. Finalement, au mois de juillet, les deux femmes arrivent à Cambrai, où elles doivent se rencontrer. Les négociations – on devrait plutôt écrire les « marchandages » – vont durer près d'un mois et aboutir à un traité qu'on nommera fort justement la « paix des Dames », « cette paix en quoi vous et moi avons tant labouré », comme l'écrira Louise à Marguerite. Pour la France, l'addition est sévère. Certes, la couronne conserve le principal objet du litige, la Bourgogne, ainsi que les comtés de Boulogne, de Guînes et de Ponthieu et plusieurs villes de la Somme, mais des places aussi importantes que Lille, Douai, Tournai, Hesdin sont perdues. Surtout, c'est là un crève-cœur pour lui, François Ier doit renoncer à ses droits sur le Milanais et sur Naples, de même qu'à sa suzeraineté sur l'Artois et la Flandre. En outre, une rançon représentant quatre tonnes d'or sera versée à Charles Quint, et c'est aussi par une forte somme en or que sera « récompensée » la neutralité d'Henri VIII.

En échange de ces sacrifices, François va pouvoir enfin retrouver ses deux fils, dont l'absence pèse si fort à son cœur et à sa conscience. En « prime », si l'on peut dire, il va aussi récupérer son épouse, Éléonore, qu'il est beaucoup moins pressé de revoir. Toutefois, il devra attendre encore près d'une année pour que lui soient rendus les otages. Si la future reine se morfond loin de son beau mari, son sort est quand même plus enviable que celui des petits princes. Enfermés dans un château lugubre de Ségovie, ils vivent dans deux pièces aux fenêtres closes par des barreaux, qui ressemblent à s'y méprendre à des geôles. Ces conditions très pénibles ne font pas honneur à la réputation de Charles Quint. Toutefois, après la signature de la paix des Dames, Jean Bodin, un gentilhomme de la chambre de Louise de Savoie, reçoit l'autorisation de visiter les prisonniers. Le rapport qu'il leur adresse arrache des larmes à François et à sa mère :

« On me mena, écrit-il, en une chambre du château assez obscure, sans tapisserie, où il y avait seulement des paillasses ; en laquelle chambre étaient mesdits seigneurs, assis sur des petits sièges de pierre contre la fenêtre de ladite chambre, garnie par-dehors et par-dedans de gros barreaux de fer, la muraille ayant huit ou dix pieds d'épaisseur ; ladite fenêtre si haute qu'à toute peine peuvent mesdits seigneurs avoir l'air et le plaisir du jour, ce qui conviendrait mieux à détenir personnes atteintes de gros crimes. Le dit lieu est tant ennuyeux et malsain pour le jeune et tendre âge de mesdits seigneurs, ainsi menés et détenus, et en si pauvre ordre de vêtements, sans ruban de soie ni autre parure, que chausses blanches et souliers de velours noir par-dessus, que ne me fut possible contenir mes larmes. J'annonçais à mesdits seigneurs qu'ils vont bientôt être délivrés, mais d'un air triste, l'aîné m'interrompt en me demandant de poursuivre mon discours dans la langue espagnole. "Monseigneur, ne savez-vous donc plus le français ?" demandai-je. "Comment l'aurais-je pu retenir, me fit-il réponse, vu que je n'ai nul de mes gens avec qui je puisse converser et parler ?..." Durant cet entretien, ils passèrent, avec la permission du gouverneur, dans une autre chambre encore plus pauvre et plus mal garnie que la première. Le dauphin et son frère allèrent tout de suite vers la fenêtre pour avoir un peu d'air et de jour, puis ils prirent chacun un petit chien entre leurs bras. Les soldats se trouvant là dirent que c'était maigre passe-temps pour de si hauts princes... »

En traitant ainsi deux enfants sans défense, Charles Quint, faute de mieux, exerce une vengeance sur leur père. Les geôliers ont reçu de l'empereur des consignes de sévérité qu'ils appliquent avec un zèle frisant parfois le ridicule : Jean Bodin ayant remis aux princes des « bonnets ornés de velours brodés d'or et ornés de plumes blanches [...], les geôliers interdirent aux enfants de s'en coiffer de peur que par art magique ou nécroman, ces objets ne les aidassent à s'envoler de leur prison et à retourner en France » !

Les princes n'auront pas besoin de faire appel à d'autre magie que celle de l'argent pour revoir leur pays ; une fois réunies les quatre tonnes d'or, non sans mal d'ailleurs, la dernière condition stipulée par le traité de Cambrai est remplie. Pour transporter cette pesante manne, il ne faut pas moins de trente et un mulets, mais il en faut encore davantage pour escorter Éléonore. Celle-ci, afin de bien marquer son rang de reine *in partibus*, a exigé un cortège de quatre cents chevaux ainsi qu'une suite de quelque deux cents personnes. Le sens de la dignité de la dame est vraiment hors de prix...

Enfin, le 1er juillet 1530, sur la Bidassoa, au lieu même où s'était déroulé le dramatique échange du 17 mars 1526, l'embarcation chargée d'or quitte la rive française, tandis que celle qui ramène les enfants en France s'éloigne de la rive espagnole. Il a été prévu que les deux bateaux se croiseront près d'un ponton élevé au milieu du fleuve. Charles Quint n'entend pas lâcher ses otages tant qu'il ne tiendra pas son butin. Ce manque de confiance n'est guère surprenant.

L'empereur a déjà été « roulé » une fois par François Ier, il ne tient pas à ce que cela se reproduise. Pour sa part, Éléonore traverse la Bidassoa sur une nef décorée de fleurs et ornée de guirlandes dorées, ce qui est la moindre des choses quand on a attendu sa nuit de noces... pendant quatre ans.

Arrivé auprès du ponton, Louis de Praëdt, ambassadeur de Charles Quint et connétable de Castille, croit nécessaire d'adresser à ses deux ex-prisonniers quelques mots d'excuse, la manière dont il les a reçus justifiant amplement son repentir. S'adressant d'abord au dauphin François, il lui déclare :

— Si je ne vous ai pas traité comme je le devais et comme il vous appartenait, c'est que mon devoir était de vous bien garder ; pardonnez-moi...

Ayant ainsi libéré sa conscience, Louis de Praëdt se tourne vers le prince Henri et s'apprête à renouveler son discours, quand il se produit un incident qui doit porter un rude coup à la fameuse morgue espagnole et qui témoigne, chez le futur roi Henri II, d'un étonnant esprit... de repartie. Se tournant vers l'ambassadeur, « il lui lâcha une pétarade » ! Le *Petit Larousse* donne de ce mot une définition qui ne prête à aucune équivoque : « Suite de pets que fait un cheval en ruant... »

Pour un enfant de onze ans, c'est faire preuve de caractère, même si le geste n'est pas dans les usages de la cour !

À Saint-Jean-de-Luz, les deux cortèges, celui des princes et celui de la reine, se rejoignent, tandis qu'un courrier galope vers Bordeaux, où François Ier attend ses fils et sa nouvelle épouse. Lorsqu'il apprend l'heureuse conclusion de ces années d'angoisse, le roi se comporte non plus comme un souverain, mais comme un simple père de famille : il tombe à genoux et éclate en sanglots de bonheur.

— Dieu éternel, s'écrie-t-il, quel honneur pourrai-je jamais te rendre en échange du bien et de la joie que je reçois de toi ?

C'est évidemment le retour de ses enfants qui provoque l'émotion du roi, toutefois, toujours galant homme, François n'oublie pas son épouse. Ce billet, adressé à Anne de Montmorency, en témoigne :

« Je vous prie de ne faillir de faire loger ma femme demain soir, en quelque logis que vous aviserez entre le Mont-de-Marsan et Roquefort. »

Cependant, à travers tout le pays, la nouvelle de la libération des petits princes s'est vite répandue, drainant derrière elle un cortège de joie. Un habitant de Paris brosse un tableau édifiant de la liesse qui règne dans la capitale :

« À Paris, c'était merveille d'ouïr un si grand nombre de cloches carillonner avec les grosses de Notre-Dame, et mêmement l'horloge du palais fut carillonnée bien longtemps. Messieurs de la ville firent à l'autel d'Ycelle grande fête et solennité avec trompettes, clairons, bascines, tambours et autres instruments musicaux ; et y étaient tous honnêtes gens bienvenus... De mémoire d'homme, on ne se souvenait avoir vu démontrer une plus grande joie au peuple. »

Le poète Janequin illustrera ainsi l'atmosphère générale :

Chantez, dansez, jeunes fillettes,
Bourgeoises et bourgeois
Faites sonner vos doulées gorgettes
Disant à haulte voix :
Vive les enfants du noble roi François !

Oui, tout le monde est heureux... tout le monde, sauf Anne de Pisseleu. Non pas que le retour des enfants de France la contrarie – ce n'est que beaucoup plus tard qu'elle aura motif à regretter qu'Henri ait survécu aux mauvais traitements –, non, ce qui l'inquiète, c'est l'irruption dans la vie de son amant de cette épouse...

tombée du ciel d'Espagne ! Elle s'ouvre au roi de ses appréhensions :

— Dois-je considérer que votre mariage signifie la disgrâce de votre humble servante ? Qu'elle devra quitter la cour de mon bon sire et aller cacher sa peine dans quelque couvent ?

Mais François ne tient nullement à perdre une femme à laquelle il est attaché par les sens et par l'esprit. Il se fait rassurant :

— Comment m'amye peut-elle croire que je consentirai à me séparer d'elle ? Ne vous ai-je point promis amour et constance ? La parole d'un amant et d'un roi ne vous suffit-elle point ?

Et François de démontrer à Anne que le mariage ne doit pas être confondu avec l'amour et que le fait de prendre épouse n'a jamais empêché un roi de vivre à sa guise, notamment de folâtrer avec d'autres créatures. Il parle d'expérience...

Puis, prenant Anne dans ses bras, il lui tient le langage de tout amoureux, qu'il soit monarque ou manant :

— Jamais je ne pourrai m'éloigner de celle qui a conquis mon cœur et ma tendresse. Jamais homme ne fut aussi épris de sa dame que je me trouve présentement envers vous.

Il est évident que la proposition d'Anne était un stratagème pour mettre son amant à l'épreuve ; elle ne se sent aucune vocation pour l'état de nonne !

D'ailleurs, les serments d'amour du roi sont assortis d'autres promesses qu'Anne apprécie sans doute davantage : celles de nouvelles faveurs et de nouveaux présents. Le roi ne tarde pas à joindre le geste à la parole : avant même qu'il ait rencontré Éléonore, Anne est pourvue d'une rivière de diamants... dont pourtant la vente au bénéfice du trésor public eût été bienvenue étant donné l'état actuel dudit trésor.

Pendant ce temps, Montmorency s'est acquitté avec diligence de la mission que son maître lui a impartie. Il sait que, d'une façon générale, le roi est très exigeant. Alors, quand il s'agit de sa nuit de noces – surtout de noces qui se sont fait désirer si longtemps –, il convient de trouver un lieu digne de l'événement. Le choix de Montmorency s'est fixé sur l'abbaye de Saint-Laurent-de-Beyrie, tenue par des religieuses dans les environs de Mont-de-Marsan. Éléonore va donc s'y installer... en compagnie des deux enfants royaux. C'est d'abord eux que François, arrivé à l'abbaye dans la nuit, va retrouver. Choix significatif... Même la perspective d'une nuit d'amour ne peut l'empêcher d'accorder la priorité à ses fils. Il est vrai, nous le savons, que la chère Éléonore n'est pas tellement séduisante.

Dans la chambre des princes, ce ne sont qu'embrassades et larmes. À la joie qu'éprouve François se mêle le remords d'avoir laissé les petits moisir dans leur prison madrilène ; il constate en effet sur leurs visages les traces des épreuves subies. Longtemps le roi reste auprès des deux princes, n'arrivant pas à les quitter. Il faut pourtant se décider, il ne peut faire attendre Éléonore toute la nuit.

Impatiente d'accueillir son mari, celle-ci s'est préparée en conséquence ; elle a revêtu une tenue blanche, à la mode espagnole, et a défait ses longs cheveux blonds qui tombent sur ses épaules. François demeurera plusieurs heures auprès d'elle.

Un si long arrêt dans la chambre nuptiale pourrait laisser supposer qu'il a pris un vif plaisir à mieux connaître la jeune femme. En réalité, il est déçu, ce qui ressort des confidences faites à son fidèle Montmorency :

— Le plaisir que nous donnent les épouses ne saurait être comparé à celui que nous prenons en dehors des chemins du mariage.

Une opinion sans équivoque, mais qui n'empêche pas François de rendre à sa femme des visites nocturnes ponctuelles, tout comme il le faisait avec la défunte reine Claude. Pourtant, comme il l'avoue encore à Montmorency :

— Le spectre de son terrible frère vient souvent se dresser entre la reine et moi. Ce qui empêche que nous soyons tout à fait amis, elle et moi, mais je fais en sorte qu'elle ne s'en doute point.

Comme il le dit, Éléonore ne soupçonne pas la rancune secrète que nourrit son mari contre Charles Quint. Pour sa part, elle est fort éprise de cet époux qu'elle n'a certes pas choisi, mais qui n'a pas eu de peine à la séduire. Une lettre qu'elle lui adresse, alors qu'il est en voyage, nous dépeint assez la nature de ses sentiments :

« Votre tout bonne et gracieuse lettre m'a donné plus de joie et de plaisir que je ne saurais vous dire. Je me languis de vous, mon cher Seigneur, et vos lettres sont l'unique sourire de mes journées. Revenez me trouver avec autant de hâte que j'ai d'impatience à vous revoir... »

Dès le lendemain de leur mariage, les nouveaux époux prennent la route pour Bordeaux. Étrange voyage de noces, puisque la maîtresse est de la partie, sans qu'évidemment Éléonore soupçonne les raisons de sa présence. Pour sa part, François aurait préféré que la jeune femme restât à la maison, mais elle s'y est opposée avec résolution et le roi a cédé. C'est chez lui une habitude qui, avec le temps, ira en s'accentuant ; Anne possède des « arguments » que la pauvre Éléonore est loin d'avoir, et elle sait en user dans les moments propices. À la suite d'une scène savamment orchestrée, la favorite a donc obtenu de ne pas quitter son amant.

Situation délicate pour ce dernier : sachant la femme qu'il aime à portée... de la main, il n'a pas la sagesse de repousser ses désirs et, souvent, ayant commencé la nuit avec Éléonore, il l'achève avec Anne, ce genre d'exploit n'étant pas pour lui faire peur. C'est donc toujours flanqués d'Anne que les nouveaux mariés arrivent à Bordeaux. Éléonore est toute fière de figurer auprès d'un monarque que ses sujets acclament et ne trouve nullement suspecte la compagnie de Mlle de Pisseleu. André Castelot nous dépeint son entrée dans la ville avec la précision d'un témoin oculaire :

« Tandis que tonnent les canons, Éléonore s'évente avec un gigantesque éventail, car il fait chaud et lourd en cette journée du 10 juillet 1530. Elle a pris place dans une litière tendue de drap d'or. On admire sa robe espagnole de velours cramoisi doublée de taffetas blanc et aux manches bouffantes couvertes de broderies d'argent. Elle est coiffée d'une crespine de drap d'or frisé, faite de papillons d'or d'où s'échappent ses cheveux qui lui pendent par-derrière jusqu'aux talons, entortillés de rubans. Sur son bonnet de velours assorti à la robe, couvert de pierreries, oscille une plume blanche tordue à la façon que le roi portait ce jour-là. »

Éléonore s'habille encore à la mode espagnole, ce qui ne plaît pas à Louise de Savoie. Pour satisfaire sa belle-mère, la nouvelle reine de France va donc revêtir une robe de satin de coupe résolument française, tandis qu'elle accompagne Louise jusqu'à Cognac. Madame Mère fait assez bonne figure à sa bru, ce qui peut surprendre puisque l'on sait qu'elle n'apprécie guère les relations féminines de son fils. Sans doute a-t-elle déjà compris que la nouvelle reine de France ne jouera pas, dans la vie de son « César », un rôle plus important que celui tenu par l'humble Claude. Qu'Éléonore passe en troisième position dans la hiérarchie sentimentale du roi, après sa mère et après Anne, n'empêche pas le monarque de lui témoigner en public les plus grands égards et, en privé, une affection sincère. Ainsi, lorsque la cour arrive au château d'Amboise et qu'Éléonore se plaint d'une indigestion, s'empresse-t-il de la faire soigner, n'hésitant pas à se relever la nuit pour prendre de ses nouvelles.

Tout au long de son périple, le couple royal a été salué par les acclamations du bon peuple. Partout, ce n'étaient que cortèges fleuris ou tableaux vivants, peuplés de jeunes filles en tenues très légères, spectacle qui a dû ravir le souverain. Sans doute se serait-il laissé aller à « remercier » certaines des actrices de ces bacchanales si Anne n'avait monté bonne garde auprès de lui.

Tout autant que le roi et la reine, les deux jeunes princes ont droit eux aussi à leur part de succès. Le traitement cruel auquel ils ont été soumis attendrit les foules, qui manifestent leur attachement par des présents de toute espèce. Si le dauphin François paraît avoir recouvré une joie de vivre en rapport avec son âge, il n'en va pas de même de son cadet. Henri d'Orléans est un enfant renfermé, en proie à des crises de mélancolie dont seules le font sortir les activités physiques qu'il pratique avec un plaisir évident. Dans cette existence morose, il y eut toutefois un sourire fugitif, le baiser que lui donna Diane de Poitiers lorsqu'il partait en captivité. À son retour d'Espagne, il a revu la jeune femme, et son cœur d'enfant a battu à se rompre. Sans qu'il en ait évidemment conscience, il est tombé amoureux de Diane et cet amour l'accompagnera tout au long de sa vie. Habitué à ne jamais livrer ses pensées, il garde ce sentiment secret... jusqu'au jour où il le révélera publiquement avec fierté.

Bien qu'il aime ses enfants, François ne se préoccupe guère de leurs états d'âme. Déjà, dans sa tête, la chimère italienne a repris sa place ; il rêve de prendre une revanche éclatante sur l'empereur et sur l'humiliation de Pavie. Le voyage qu'il vient d'effectuer à travers plusieurs provinces l'a conforté dans l'idée que sa popularité auprès du peuple n'a pas souffert de son absence forcée ni de sa défaite. Pour soigner cette popularité, il veille à offrir à ceux qui l'entourent autant qu'à lui-même une brillante apparence. Brantôme nous apprend qu'il donne ordre de régler dix mille cinq cents livres à un marchand florentin « pour son paiement de toiles d'or, d'argent et de soie, devants de cottes et manches faites à broderie d'or et d'argent qu'il a fournis et livrés en ladite argenterie pour les robes, cottes et bordures d'icelles à mesdames la dauphine et Marguerite de France, et autres dames et demoiselles de leur maison auxquelles le roi a fait don, à ce qu'elles fussent honorablement vêtues à cause de l'entrevue qui s'est faite entre notre Saint-Père le pape, l'empereur et notre seigneur roi... »

Naturellement, Anne est la principale bénéficiaire des largesses royales, et elle ne se fait pas faute d'en profiter : les bijoux s'amoncellent dans ses coffres, et ce n'est qu'un début. Dans l'esprit du roi, la favorite symbolise cette grâce et cette élégance qui n'appartiennent qu'aux femmes et dont il veut faire le signe distinctif de son règne. Un chroniqueur du temps nous rapporte :

« Parfois, en rentrant de la chasse, il entrait dans les appartements de la jeune femme. Celle-ci dormait encore et le roi prenait bien des peines pour ne point l'éveiller. Il déposait alors sur quelque tabouret un collier ou bien des boucles pour les oreilles, le tout fait de pierreries précieuses, et se retirait ensuite, toujours dans le silence. Quelques heures plus tard, lorsqu'il retrouvait ladite personne, il s'informait d'un ton négligent afin de connaître si elle avait passé une bonne nuit, et si Anne ne faisait point allusion au présent, il ne manquait de l'interroger pour connaître si elle en était satisfaite. »

Fine mouche, dans le but évident d'obtenir toujours plus, Anne ne laisse jamais éclater sa joie. Si elle remercie le roi de ses prodigalités, elle le fait avec des mots qui laissent entendre que ces cadeaux lui sont dus ; après tout, n'est-elle pas la favorite d'un grand roi ? Cet état justifie qu'elle possède des bijoux de grand prix et des toilettes somptueuses. Pour un peu, elle considérerait qu'il y va de la réputation du souverain que sa maîtresse soit la femme la plus élégante et la plus richement parée du royaume.

Par ailleurs, elle a jugé et jaugé le caractère de François : elle connaît son attirance pour le beau sexe et le danger qui en résulte pour elle. Elle connaît également l'emprise qu'elle exerce sur lui ; pour garder un tel homme, il faut parfois lui tenir la dragée haute pour, à d'autres moments, jouer la comédie du chagrin et de la faiblesse. François n'a jamais pu assister au spectacle d'une femme en pleurs sans en être profondément retourné. Dans ce domaine, la demoiselle est experte, elle peut faire jaillir à volonté les larmes de ses yeux. Mais, surtout, elle se sait aimée du roi et cette assurance ne fera que croître avec les années.

Il est vrai que François l'aime et, surtout, qu'il ne peut s'en passer. Il ne faut jamais oublier que c'est un homme intelligent, donc lucide, même s'il n'écoute pas toujours ce que lui souffle cette lucidité. Il ne peut donc pas ignorer le calcul qui inspire l'attitude d'Anne ; il est sûrement conscient qu'il est aimé davantage pour ce qu'il représente que pour ce qu'il est. Mais peu lui importe, ce dont il a besoin avant tout, c'est d'amour. Il y a été accoutumé dès le berceau, « couvé » qu'il fut et continue de l'être par sa mère et sa sœur. Par la suite, toutes les femmes se sont montrées « gentilles » pour lui, selon sa propre expression. S'il perçoit les motifs réels d'Anne de Pisseleu, il veut les oublier, à la faveur du plaisir qu'elle lui apporte et auquel il est incapable de renoncer. Sans doute, en son for intérieur, regrette-t-il parfois la pure, la désintéressée Françoise de Châteaubriant. Sans doute aussi a-t-il compris qu'elle est la seule femme qui l'ait aimé sincèrement, hormis sa mère et sa sœur. Cette appréhension de la vérité, même si elle demeure confuse en lui, se manifestera un peu plus tard, lorsqu'il se retrouvera en présence de la comtesse. Mais, même si la pensée de Françoise lui traverse l'esprit, il s'efforce de ne pas s'y attarder afin de ne pas se compliquer l'existence. Car, avant toute chose, François est fait pour le bonheur. Dans les pires circonstances, cette propension au bonheur ne l'a jamais abandonné, elle lui donne la force de surmonter tous les obstacles et le courage de repartir à la poursuite de nouvelles aventures... ou de nouvelles chimères !

Mais son goût du bonheur n'est pas égoïste : heureux lui-même, il veut que les autres le soient également, Anne bien sûr, mais aussi toutes les femmes de la cour – qu'elles lui aient ou non accordé leurs faveurs –, ses compagnons de chasse et de sorties nocturnes, ses serviteurs, et d'une façon générale tous ceux qui l'entourent. Cet état d'esprit s'accompagne d'une gaieté spontanée, qui se manifeste à la moindre occasion et donne à penser qu'il est un homme léger, d'esprit superficiel. Il n'en est rien ; il analyse au contraire les problèmes qui se posent à lui et si, parfois, sa nature enthousiaste le porte aux imprudences, il en est parfaitement conscient, mais il se fie à sa bonne étoile pour se tirer d'affaire. Dans ses actes, comme dans ses propos, il mêle toujours un grain de fantaisie et improvise au gré des événements, haïssant par-dessus tout le conformisme et l'habitude. C'est en raison de cette personnalité hors du commun qu'il est demeuré dans la mémoire des Français ; ceux-ci ont oublié ses déboires et ses erreurs pour ne conserver que le souvenir de ses fastes, de sa magnificence et de l'héritage artistique prestigieux laissé à son pays. Dans ce dernier domaine,

François Ier est sans rival ; à peine rentré de captivité, il met en chantier plusieurs châteaux. Blois étant achevé, voici qu'à leur tour Saint-Germain, les Tournelles, le Louvre, Boulogne, Villers-Cotterêts, Chambord, Fontainebleau sont édifiés ou transformés par une armée de maçons, de charpentiers, de peintres, tandis que d'Italie – toujours le mirage italien –, après Léonard de Vinci, le roi fait venir le Primatice, Rosso, Benvenuto Cellini, qui laisseront à ses demeures les témoignages de leur génie créateur. François ne se borne pas à lancer les travaux, il se rend sur place, encourage les équipes, manifeste une joie d'enfant devant les résultats, stimulant par sa seule présence l'activité des uns et des autres. Bien entendu, Mlle de Pisseleu, dans la plupart des cas, est du voyage. Et où qu'il se trouve, le soir venu, c'est un bal que mène le roi, entraînant dans son sillage les dames présentes ou se mêlant aux musiciens pour jouer du luth.

Regardons-le en ces années 1530. Infatigable, inlassable, curieux des choses de l'esprit comme adepte des exercices physiques, à trente-cinq ans révolus, il est toujours aussi bel homme, dominant l'assistance de sa haute taille, étalant complaisamment une force peu commune, dont il est fier, jetant sur les dames un regard à la fois complice et tendre. Ce qui séduit celles à qui ses regards s'adressent, c'est son sourire, un sourire éclatant, celui d'un roi certes, mais avant tout celui d'un homme. Il a le souci de son élégance, et même de sa coquetterie. Georges Bordonove, dans le livre qu'il lui a consacré, trace de lui un portrait aussi vivant que remarquable :

« Il raffole des bijoux, écrit l'historien, des perles, des pierres précieuses. Il achète les diamants en connaisseur. L'or exerce sur lui une espèce de fascination ; ses boutons, ses éperons, ses encriers, ses objets de toilette sont en or. Il se vêt de drap d'or ou d'argent, de velours ou de soie. Les larges bérets qu'il porte et

143

que l'on appelle "bonnets" sont souvent ornés d'une plume ou d'une escarboucle. Il a le goût des bagues somptueuses et des parfums... »

Ce goût du luxe répond à ses désirs, mais il fait aussi partie de sa politique de prestige ; il sait que le peuple admire son allure majestueuse et apprécie d'être gouverné par un tel maître. Les voyages qu'il accomplira bientôt à travers le pays le conforteront dans cette opinion.

En attendant, après avoir passé l'hiver au château de Saint-Germain-en-Laye, le roi revient dans sa bonne ville de Paris, avec toute sa cour, et s'installe à l'hôtel des Tournelles. Madame Louise et Madame Marguerite sont à ses côtés, ainsi que la reine Éléonore... et l'incontournable favorite. Capitale de la France, encore loin de ses proportions actuelles, Paris est déjà une grande ville dont le roi goûte l'atmosphère et le rythme de vie. Il aime également les agapes auxquelles on s'y livre. L'ambassadeur de Venise, Geronimo Lippomano, adresse à son gouvernement une description de la gastronomie parisienne qui a la précision d'un cliché photographique :

« Paris a en abondance tout ce qui peut être désiré, écrit-il, les marchandises de tous les pays y affluent ; les vivres y sont apportés par la Seine de Normandie, d'Auvergne, de Bourgogne, de Champagne et de Picardie. Aussi, quoique la population soit innombrable, rien n'y manque : tout semble tomber du ciel ; cependant le prix des comestibles y est un peu élevé, à vrai dire, car les Français ne dépensent pour nulle autre chose aussi volontiers que pour manger et pour faire ce qu'ils appellent "bonne chère". C'est pourquoi les bouchers, les marchands de viande, les rôtisseurs, les revendeurs, les pâtissiers, les cabaretiers, les taverniers s'y trouvent en telle quantité que c'est une vraie confusion ; il n'est rue tant soit peu remarquable qui n'en ait sa part ; cet art est si avancé à Paris qu'il y a des cabaretiers qui nous donnent à manger chez eux à tous les prix... Une personne seule ne dépensera qu'un teston, monnaie nouvelle frappée en 1513, et sur laquelle était gravée la tête du roi régnant. Si l'on est nombreux, pour vingt écus, on vous donnera, j'espère, la manne en potage ou le phénix rôti, enfin ce qu'il y a au monde de plus précieux. Les princes et le roi lui-même y vont quelquefois... »

Il est vrai que François Ier, à Paris, retrouve les habitudes de sa jeunesse, quand il déambulait à travers la ville. Il n'était pas difficile sur le choix des établissements qu'il fréquentait pourvu qu'il s'y amusât. Dans ces « lieux de perdition », François ne juge pas utile de se faire accompagner par Anne. Sans peine il trouve sur place la compagnie divertissante dont il a besoin, et quand il rentre, au petit matin, comme autrefois, il n'hésite pas à aller « dire bonjour » à sa belle maîtresse. Quelle santé !

Non sans fierté, le roi fait visiter la capitale à sa nouvelle épouse. Il l'entraîne en particulier vers un palais qu'il fait édifier dans le bois de Boulogne. Le public lui donnera le nom de château de Madrid, en souvenir de la captivité du roi. Depuis, le château a disparu, mais le nom est resté...

Le fait marquant de cet hiver 1531, c'est qu'Éléonore va devenir reine de France de manière officielle : le 3 mars, elle reçoit la couronne et, deux jours plus tard, elle fait en grande pompe son entrée dans Paris. De la fenêtre de l'hôtel des Tournelles, François Ier assiste à la cérémonie, avec à son côté... Anne de Pisseleu, qui ne semble guère apprécier le spectacle. À ce propos, Brantôme rapporte :

« Madame Anne faisait triste visage, pareillement à celui que l'on voit aux gens qui sont en peine de deuil. »

La présence de la maîtresse royale fait d'ailleurs scandale parmi les invités, mais Éléonore ne paraît pas s'en offusquer. Il n'empêche que l'ambassadeur d'Angleterre adresse à Henri VIII une relation de l'événement dans laquelle il se déclare profondément choqué de voir le roi de France choisir le jour où la reine est intronisée pour s'afficher « aussi outrageusement avec sa favorite » !

Le propos ne manque pas de saveur si l'on songe qu'il s'adresse à un monarque qui n'hésitera pas à répudier son épouse légitime pour épouser sa maîtresse, qui se mariera lui-même six fois et n'hésitera pas à faire couper le cou de deux de ses femmes. François Ier ne semble d'ailleurs pas s'émouvoir outre mesure des quelques réactions d'humeur que la vue d'Anne a provoquées.

On peut s'interroger sur l'état d'esprit du roi quand il accepte de partager son trône avec la sœur de son pire ennemi : n'est-ce pas là l'un des paradoxes de la politique de devoir cette épouse à la plus terrible des défaites et d'avoir dû lui jurer devant Dieu fidélité et amour pour la vie, alors même qu'il connaît les sombres desseins que son beau-frère continue de nourrir à son encontre ?

Il est certain que cette pensée ne doit pas le quitter et qu'elle dresse un obstacle quasi infranchissable entre lui et Éléonore. Cette dernière en est sûrement consciente, qui s'efforce de se faire pardonner sa fâcheuse parenté en manifestant à son époux une passion démonstrative. Car elle est fort éprise de son beau mari et entend le lui montrer par tous les moyens. Quant à François, toujours galant homme, il la traite avec tous les égards dus à son rang. Il en fournira de fréquents exemples lors des voyages qu'ils effectueront ensemble en France durant les deux années suivantes.

Pendant une semaine, pour célébrer le couronnement d'Éléonore, les fêtes succèdent aux fêtes, les banquets aux banquets, et François fait la démonstration d'un appétit qui rendrait béats d'admiration les gourmets de notre époque. Rompant avec l'étiquette, le roi entend partager son festin avec plusieurs convives et, comme par hasard, c'est Anne de Pisseleu qui se trouve être sa voisine. Elle va recevoir une nouvelle preuve de la faveur royale à l'occasion du grand tournoi qui clôt ces jours de fête, tournoi donné en l'honneur de la Beauté, un patronage que François ne saurait désavouer.

Selon l'habitude, c'est la rue Saint-Antoine qui a été choisie pour champ de lice. Au grand déplaisir des commerçants et des riverains, elle est dépavée pour la circonstance, et sa chaussée est aménagée en piste sablée, tandis qu'une tribune est élevée le long des maisons, bouchant complètement la vue de leurs habitants. Ce dispositif ne va pas sans provoquer de vives protestations, mais les récalcitrants sont renvoyés prestement, avec menace, s'ils insistent par trop, d'avoir la langue fendue ! En ce temps-là, comme on le voit, les membres du service d'ordre ne prenaient pas de gants !

La tradition veut qu'à la fin d'un tournoi une des dames présentes en soit proclamée la reine. Le lecteur ne sera pas surpris d'apprendre que la couronne de reine de Beauté fut attribuée à Anne, à l'unanimité, comme il se doit. Le roi n'aurait pas souffert qu'il en fût autrement. Anne accueille l'hommage avec une petite moue désabusée... qui se transforme en grimace quand elle voit le fils cadet du roi, le prince Henri d'Orléans, incliner son étendard devant une autre femme, la comtesse Diane de Poitiers... En vérité, si la beauté avait été le seul critère pris en considération, celle que l'on nommait la « belle des belles » aurait dû l'emporter sans discussion, tant son visage et son corps recèlent de perfections, mais il aurait été imprudent de braver le roi. Le geste d'Henri n'en est pas moins significatif, et de ce jour naît une rivalité, qui ne fera que croître, entre les deux femmes – la favorite du roi et celle de son fils cadet –, une rivalité sans merci, où tous les coups seront permis.

En rendant hommage à Diane de Poitiers, le plus jeune fils de François Ier a donc voulu réparer une injustice, mais surtout il a fourni à tous la preuve de son attachement à la comtesse. Sur le moment, on ne prête guère attention à ce sentiment. Henri n'est encore qu'un enfant de douze ans, comment pourrait-on se douter que son jeune cœur bat pour une femme de vingt ans son aînée ? On se souvient du baiser donné cinq ans plus tôt par Diane à Henri, au moment où celui-ci quittait la terre de France pour être livré en otage à Charles Quint... De la part de la jeune femme, il ne s'agissait alors que d'un geste de commisération, mais il avait suffi pour enflammer le cœur du petit prince. Désormais, et jusqu'à son dernier jour, jusqu'à ce moment fatal où, en ce même lieu de la rue Saint-Antoine, il sera tué par la lance de Montgomery, Henri demeurera fidèle à cet amour de jeunesse.

De quel sortilège cette femme dispose-t-elle pour s'assurer ainsi de manière indélébile l'attachement du jeune prince ? Arrêtons-nous un instant sur son cas puisque, au demeurant, bien que de façon indirecte, elle est appelée à jouer un rôle dans ce récit.

Elle est née le dernier jour de l'année 1499 au sein d'une de ces familles de haute lignée qui ont longtemps fait la puissance de la féodalité. Nous avons vu que son père, le comte Jean de Poitiers, qui avait imprudemment embrassé la cause du félon connétable de Bourbon, avait été sauvé de la hache du bourreau par une intervention de sa fille. Nous avons vu aussi que la rumeur avait alors prétendu que François Ier s'était laissé arracher la grâce du père en échange du don de la fille. En vérité, il n'en est rien, et le roi lui-même a démenti ces allégations. D'ailleurs, Diane est fidèle à son mari, le grand sénéchal de Normandie, Louis de Brézé. Elle aurait eu pourtant quelque excuse à se montrer volage : à seize ans, cette radieuse beauté avait été offerte en holocauste à un vieux barbon de cinquante-six ans. Et comme un malheur n'arrive jamais seul, le comte de Brézé poussait le mauvais goût jusqu'à être contrefait et bossu. Pourtant, insondable mystère du cœur féminin, Diane accepte ce vieux mari disgracié par la nature. Quand il disparaît, au mois de juillet 1531, quelques mois après l'hommage rendu à la belle par Henri, Diane offre alors le spectacle d'une profonde affliction, le terme de « spectacle » étant celui qui convient car l'abondance de ses larmes est proportionnelle au nombre de personnes qui l'entourent. A-t-elle aimé sincèrement un homme qui aurait pu être son grand-père ? Quoi qu'il en ait été, elle a fait semblant avec une réelle virtuosité. Pourtant, la médisance, qui est une arme assez redoutable pour arriver à percer le mur des siècles, a prêté à la « belle parmi les belles », comme la nommait Brantôme, de nombreuses aventures avant même que le brave M. de Brézé eût quitté ce monde. Ainsi, on a même cru qu'un soir elle avait laissé choir sa tunique d'austérité devant Clément Marot. Un ravissant poème est à l'origine de cette méprise :

> *Être Phébus bien souvent je désire,*
> *Non pour connaître herbes divinement ;*
> *Car la douleur que mon cœur veut occire,*
> *Ne se guérit par herbe aucunement ;*
> *Non pour avoir ma place au firmament,*
> *Car en la terre habite mon plaisir,*
> *Car à mon roi ne veux être rebelle.*
> *Être Phébus seulement je désire*
> *Pour être aimé de Diane la belle.*

Tant pis pour le poète, il s'agissait d'une autre Diane et c'est bien dommage ! Mais une fois pour toutes, la comtesse s'est fabriqué un personnage parfait dont elle ne sortira plus. Elle réussit même à faire de son veuvage un attribut de sa séduction ; désormais, elle ne s'habille plus qu'en blanc et noir, et ce choix, apparemment austère, ne la distingue que mieux des autres femmes et met en valeur son teint de nacre. Brantôme ne s'y trompe pas, qui écrit :

« Si elle ne réformait – elle point tout, ni si à l'austérité qu'elle ne s'habillât gentiment et pompeusement et y paraissait plus de mondanités que de réformation de veuve et surtout montrait toujours sa belle gorge. »

Il est vrai que Diane, dans chacune de ses tenues, s'efforce de dévoiler une partie de ses charmes, comme pour donner plus de regrets à ceux qui n'en verront jamais davantage. Tel est son maintien, telle est sa dignité que Mme de Brézé en impose à tous, y compris au roi, qui, même s'il en nourrit le secret désir, n'ose pas risquer un geste ou un propos équivoques. Ce qui n'empêche pas Anne de manifester sa jalousie. Depuis l'incident de la Saint-Antoine, elle regarde d'un œil soupçonneux la présence de Diane à la cour et voudrait l'en écarter, mais François, pour une fois, n'obéit pas au caprice de sa maîtresse. Un soir de 1532, le roi et Mme de Brézé bavardent comme deux vieux amis et en viennent à évoquer les princes :

— Voyez-vous, m'amye, dit François, j'ai un souci que je veux vous confier...

— Un souci à propos de vos fils, Sire ?

— Non point au sujet de l'aîné. Le dauphin n'a que quinze ans d'âge, mais il est déjà fort avancé... Imaginez-vous qu'il a une maîtresse !

Sur ces mots, le roi éclate d'un rire sonore. On le sent fier de son aîné, qui marche sur ses traces. Cependant, son regard s'assombrit et c'est sur un ton inquiet qu'il poursuit :

— Celui qui me préoccupe fort, c'est Henri... Il est d'un naturel renfermé...

— Sans doute les années de captivité qu'il a subies ont-elles agi sur son caractère... Ce n'est peut-être qu'une mélancolie qui ne perdurera point...

— Seuls les exercices physiques semblent l'intéresser... Cela n'est point pour me déplaire, mais je le voudrais plus joyeux.

Diane sourit, d'un de ses sourires qui sont rares chez elle et n'en ont que plus de prix, et elle propose :

— Fiez-vous à moi, Sire, j'en fais mon galant !

C'est presque une boutade, vu les années qui la séparent du prince, mais François la prend au mot, rassuré justement par cette différence d'âge. D'ailleurs, le terme de « galant », comme on l'entend alors dans les romans de chevalerie, participe de l'amour courtois et ne saurait comporter la moindre allusion équivoque. De quoi s'agit-il en somme ? D'aider un jeune garçon, trop tôt privé de sa mère, à retrouver équilibre et joie de vivre. En acceptant cette proposition d'apparence innocente, François Ier ne se doute pas qu'il a ouvert une porte à une situation qui finira par compliquer sérieusement ses propres amours.

7

Où l'on reparle de la belle comtesse

Pour le moment, elles ne vont pas mal du tout les amours du roi ; son mariage de convenance n'a en rien ralenti son ardeur vis-à-vis d'Anne ni diminué les prérogatives de celle-ci. Il n'est que de la regarder pour évaluer les largesses de son amant. Il faut croire que ce n'est pas encore assez pour satisfaire son insatiable appétit de richesses. Elle fournira une nouvelle démonstration de son âpreté en même temps que de l'emprise croissante qu'elle exerce sur François.

Lors d'un séjour à Fontainebleau, à l'issue d'une nuit où elle s'est particulièrement « distinguée », elle juge le moment propice pour formuler une exigence dont elle nourrissait le projet depuis quelque temps, exigence exorbitante, comme on va le voir, mais elle s'estime assez puissante pour la présenter :

— Est-il bien vrai que vous m'aimez autant que vous le dites ? demande-t-elle au roi d'une petite voix innocente.

Et comme des larmes lui montent aux yeux, exercice qu'elle pratique à volonté, François, tout ému, se lance dans une vibrante protestation d'amour :

— Ne le sais-tu point que je t'aime ? Ne t'ai-je point jusqu'ici donné assez de témoignages de ma flamme comme de mon ardeur à te chérir ?

Anne ne répond pas tout de suite. Les yeux mi-clos, elle observe le roi avec attention et, jugeant qu'il est « à point », elle porte une deuxième estocade :

— Et si je vous priais de me donner un nouveau témoignage de cet intérêt que vous prétendez avoir pour moi...

François ne la laisse pas achever sa phrase et s'exclame :

— Que je prétends ? Palsembleu ! Douterais-tu de la vérité de mes sentiments ? Quel est donc ce nouveau témoignage ? Parle, je t'en conjure, et tu entendras de quelle couleur sera ma réponse !

— Vous me donnez votre promesse de satisfaire la requête de votre humble servante ? Vous le jurez ?

— Par ma foi, je le jure ! Allons, dis-moi l'objet de ton désir et je le comblerai sur-le-champ !

Impétueux, selon son habitude, le roi va se rendre compte qu'il s'est engagé un peu vite car, en entendant ce qu'Anne demande, il a peine à en croire ses oreilles.

Avec le même air innocent, le même reflet de candeur dans son regard, elle lui déclare :

— Je prie le roi de retirer de Mme de Châteaubriant tous les plus beaux joyaux qu'il lui a donnés, non pour le prix et la valeur, car pour lors les pierres et pierreries n'avaient la vogue qu'elles ont eue depuis, mais pour l'amour des belles devises qui y étaient mises engravées et empreintes...

L'exigence est tellement énorme, le procédé tellement contraire aux manières du roi que celui-ci se renfrogne aussitôt et réplique :

— Quel que soit l'amour qu'il nourrisse pour sa dame, il est des démarches qu'un galant gentilhomme ne peut effectuer sous peine d'y perdre l'honneur... Demande-moi tous les présents qu'il te plaira d'avoir, mais ne me demande point d'accomplir une telle vilainie.

Anne avait évidemment prévu la réaction de son amant et préparé la sienne : elle fond aussitôt en larmes et, entre deux sanglots, hoquette :

— Je savais bien que vous ne m'aimiez point autant que vous le prétendez... Il est facile de feindre la passion, il est moins aisé de la démontrer.

Et de laisser s'écouler un nouveau torrent de pleurs ! Le pauvre François ne sait quelle contenance adopter, il s'efforce d'apaiser Anne et tente de la prendre dans ses bras mais, dans un grand mouvement mélodramatique, celle-ci s'écarte de lui.

— Non, non, Monseigneur, laissez-moi... Je vois que je ne suis pour vous que bien peu de chose... Il faut me laisser aller, m'abandonner à mon pauvre destin...

Les sanglots redoublent, étreignant le cœur sensible de François d'une angoisse mortelle. À mesure que les minutes passent, sa belle résolution s'effondre ; comment trouver la force de résister à une femme qui « possède des arguments » si séduisants et qui sait pleurer comme personne ? Après avoir essayé de ramener Anne à plus de modération, il finit par s'incliner... Quelques heures plus tard, un courrier, dépêché par le roi, prend le chemin de Châteaubriant afin de porter à Françoise la requête de son ancien amant.

On peut imaginer la réaction de la comtesse devant une réclamation aussi insolite et aussi peu courtoise. Sur l'instant, son premier réflexe est la colère, et elle a bien envie d'envoyer au diable le messager royal. Mais Mme de Châteaubriant n'est pas une femme ordinaire : elle va donner une preuve de plus de la qualité de son caractère en administrant au roi une belle leçon de savoir-vivre... Mais laissons une fois de plus Brantôme nous conter l'affaire :

« Prise de dépit, la comtesse envoya un orfèvre et lui fit fondre tous ses joyaux sans avoir respect ni acceptation des belles devises qui y étaient gravées ; et après le courrier revenu, elle lui donna tous les joyaux convertis et contournés en lingots d'or. »

Le geste ne manque pas d'allure, et Françoise l'assortit d'un message destiné au souverain : « Allez porter cela au roi, ordonne-t-elle à l'envoyé de François Ier en lui remettant les lingots, et dites-lui que, puisqu'il lui a plu de me révoquer ce qu'il m'avait donné si libéralement, je lui rends et renvoie en lingots d'or. Pour ce qui est des devises, je les ai si bien empreintes et conservées en ma pensée, et les y tiens si chères, que je n'ai pu permettre que personne en disposât, en jouît et en eût du plaisir, que moi-même. »

Le Roi-Chevalier est un homme d'honneur. Il a pu connaître un moment de faiblesse et se laisser influencer par Anne, mais, dans le secret de son cœur, il a certainement réalisé l'inélégance de son geste. Quand il apprend la réaction de la comtesse de Châteaubriant, il est soudain furieux contre lui-même... et contre Anne. Remettant à son courrier les lingots restitués par Françoise, il le charge à son tour d'un message pour son ancienne favorite :

« Retournez-lui le tout et mandez-lui que ce que j'en faisais, ce n'était pas pour la valeur, car je lui eusse rendu deux fois plus, mais pour l'amour des devises. Et puisqu'elle les a ainsi fait perdre, je ne veux point de l'or et le lui renvoie ; elle a montré en cela plus de courage et plus de générosité que je n'eusse pensé provenir d'une femme. »

Tirant la morale de l'aventure, Brantôme conclut son récit par un hommage mérité à Françoise de Châteaubriant :

« Un cœur de femme généreuse dépitée, et ainsi dédaignée, fait de grandes choses. »

Il est vrai que, dans le fond de son cœur, la jeune femme n'a pas oublié François. Sans doute l'aime-t-elle toujours, en dépit de son infidélité et malgré cette malheureuse démarche. La suite des événements le démontrera. Anne d'Étampes, elle, a considéré d'un fort mauvais œil le voyage aller-retour des lingots et n'a pas apprécié de voir ces trésors échapper à son avidité. Ce qu'elle a apprécié encore moins, c'est le remords du roi à l'égard de Françoise. Elle y perçoit le signe que la comtesse n'a pas disparu complètement des pensées ni peut-être des désirs de son amant. Elle va très vite avoir la confirmation de ses soupçons.

Mais, avant de poursuivre ses amours tumultueuses, François Ier va se trouver douloureusement frappé dans la plus chère de ses affections. Toujours fidèle à son besoin d'activité, au mois d'août 1531, il quitte Fontainebleau – sa demeure préférée – en compagnie d'Éléonore. Si la reine l'accompagne dans la plupart de ses déplacements, ce n'est pas qu'il ne peut se passer de sa présence, mais il a constaté que le peuple était heureusement impressionné par la vue du couple royal. En souverain déjà moderne, il a compris l'importance de la ferveur populaire à l'égard de la couronne, et il ne rate pas une occasion de la provoquer, soit par la simplicité débonnaire de son comportement, soit par les dons qu'il multiplie aux plus déshérités.

Anne est-elle de ce voyage, selon son habitude ? C'est vraisemblable, bien que rien ne permette de l'affirmer. En tout cas, Madame Louise, elle, n'en est pas, pas plus que Marguerite. Si la mère du roi est demeurée à Fontainebleau, c'est que sa santé s'est gravement altérée depuis quelques mois. Elle paie la rançon des efforts incessants déployés depuis trente ans pour faire de « son César » ce qu'il est aujourd'hui. Et cette femme indomptable, qu'une volonté farouche animait, brusquement capitule. Elle n'en peut plus et laisse toutes sortes de maux l'envahir. Comme si ce n'était assez de ces calamités, voilà qu'une épidémie de peste se déclare dans la région de Fontainebleau. Malgré son extrême lassitude, soutenue par sa fille, Louise doit quitter le château et prendre la route de la Sologne.

Mais les deux femmes ne vont pas loin : le 22 septembre, à Grez-en-Gâtinais, à quelques lieues de Fontainebleau, la duchesse de Savoie sent ses dernières forces l'abandonner. Étendue dans une demeure de fortune, sa fille Marguerite, qui ne l'a pas quittée d'un instant, l'entend murmurer :

— Inclinez-vous vers lui, Seigneur Dieu, et aidez mon fils dans ses grandes affaires...

Ainsi, les ultimes pensées de cette mère incomparable sont pour ce fils auquel elle a consacré sa vie ; sa plus grande tristesse est qu'il ne soit pas auprès d'elle en cet instant suprême. Et c'est avec une grande dignité que disparaît celle qui, sans jamais en porter le titre, n'en fut pas moins l'une des plus grandes reines de l'histoire de France.

Le lendemain, le roi se trouve à Chantilly, chez le connétable de Montmorency, son fidèle compagnon, quand lui parvient la nouvelle de la mort de sa mère. Sa peine est immense et spectaculaire, et l'on voit ce colosse de près de deux mètres sangloter comme un enfant. Sans prendre le temps de sécher ses larmes, il saute sur un cheval et galope jusqu'à Saint-Maur-des-Fossés, où, selon la coutume du temps, la remembrance de sa mère est exposée. Le travail a été effectué de façon si remarquable, l'effigie de Madame Louise est si ressemblante que l'émotion étreint François au point qu'il tombe évanoui. Cet excès de sentimentalité chez cet homme, si énergique par ailleurs, ne doit pas surprendre. Toute sa vie le roi ne pourra maîtriser les élans de son cœur, qu'ils le portent vers un visage de femme, vers la fidélité à sa mère ou vers l'édification d'un nouveau château.

Il ordonne que Louise ait des funérailles royales et qu'elle soit inhumée à Saint-Denis, comme le sont les reines, offrant à sa sœur l'honneur de conduire le deuil. Quant à lui, la disparition de Madame Louise le laisse un moment désemparé. Depuis son plus jeune âge, il s'était accoutumé à s'appuyer sur Louise et à solliciter ses conseils dans les moments de désarroi. Il lui doit non seulement d'être monté sur le trône, mais encore d'y être demeuré après Pavie. Désormais, il lui faut poursuivre sa route sans ce guide précieux.

L'argent ne peut certes effacer sa peine, il n'empêche que le million cinq cent mille écus que lui laisse sa mère doit contribuer à l'atténuer. Si, après le paiement de sa rançon à Charles Quint, il se trouvait démuni, il est à présent en mesure d'entreprendre de nouveaux projets. L'énorme fortune amassée par Madame Mère indique qu'en dirigeant les affaires de l'État elle n'a pas perdu son temps ; il a dû lui arriver parfois de confondre les finances du pays avec les siennes, exemple largement suivi au cours des siècles par certains dirigeants de notre pays... De surcroît, outre cette manne providentielle, François recueille les biens privés de sa mère, c'est-à-dire les duchés d'Auvergne, d'Angoulême, d'Anjou, du Bourbonnais et de Châtellerault et les comtés de Romorantin, du Forez, de Montpensier et de Clermont... Bref, le roi a maintenant de quoi voir venir...

Ces flots d'or qui tombent dans son escarcelle, François Ier va en user à bon escient. Certes, Anne de Pisseleu est la première à en recueillir les fruits par l'octroi de quelques nouvelles terres et de quelques nouvelles demeures, mais, si le roi est généreux avec sa maîtresse, cette générosité demeure dans les limites du raisonnable. Jamais ses prodigalités au beau sexe ne mettront en péril l'équilibre des finances publiques. Quand il ne puise pas dans le trésor royal pour faire la guerre, le roi de France le met au service de ses grandes réalisations. Il va donc profiter de son héritage pour achever un édifice qui lui tient à cœur : le château de Fontainebleau. De tous les palais construits ou améliorés durant son règne, Fontainebleau a sa préférence, il en fera l'écrin destiné à contenir les objets les plus précieux et les plus rares, et à cette tâche il apportera autant d'amour qu'il mettra à conquérir les jolies femmes. Oui, entre ce château et lui se tissent les liens d'une complicité de chaque instant.

Nul mieux que Michelet n'a su dépeindre les charmes et les grandeurs de Fontainebleau : « Harmonie d'âge et de saison, Fontainebleau est surtout un paysage d'automne, le plus original, le plus sauvage et le plus doux, le plus accueillant. Ses roches chaudement soleillées où s'abrite le malade, ses ombrages fantastiques empourprés des teintes d'octobre qui font rêver l'hiver, à deux pas de la petite Seine, entre des raisins dorés, c'est un délicieux dernier nid pour reposer et bien encore ce qui resterait de la vie, une goutte réservée de vendange... Ici, François, découragé des guerres lointaines, veuf de son rêve de l'Italie, se fait une Italie française. Il fait sa galerie d'Ulysse. Son Odyssée est finie. Il accepte, la destinée le voulant ainsi ; son Ithaque.»

Il est vrai que l'achèvement du château de Fontainebleau console le roi des déboires qu'il a subis sur d'autres terrains, mais s'il aime à s'y retrouver, il ne faudrait pas en conclure qu'il constitue pour lui un lieu de retraite où il se fixera. Le besoin de mouvement, qui l'agite depuis son jeune âge, n'est pas près de le quitter ; il va en fournir une nouvelle démonstration durant les deux années suivantes. Il a décidé en effet de faire visiter son royaume à celui qui, un jour, régnera après lui : son fils aîné, François. Il ne peut évidemment prévoir qu'un destin cruel se chargera de bouleverser l'ordre normal des choses. Il va donc entreprendre un véritable tour de France. Naturellement, le dauphin ne sera pas seul à suivre son père, la reine Éléonore aura droit aussi aux réceptions et aux vivats de la foule que le roi et sa famille recueilleront sur leur route. En décidant ce voyage, François poursuit un autre but : renforcer le prestige de la couronne auprès des populations visitées. Il connaît son pouvoir d'attraction sur les masses, il va en avoir la confirmation. Comme d'habitude, la cour se déplace en grand apparat, suivie d'une foule de courtisans et de serviteurs. Ce qui signifie que, parmi les hauts personnages qui accompagnent leur maître, Anne figure en bonne place. Elle a fait tout ce qu'il fallait pour être du voyage, craignant toujours qu'un « accident » ne vienne mettre un terme à la faveur de son amant ; pourtant, il n'a jamais été aussi amoureux et ne peut rester éloigné d'elle au-delà de quelques jours. Lorsque Éléonore – tout arrive – s'est soudain avisée que la présence de Mlle de Pisseleu finissait par être trop constante à son gré, son époux lui a fait comprendre qu'il n'était pas question d'y mettre un terme, et Anne est demeurée dans le cortège royal.

Celui-ci se dirige d'abord vers le nord du pays, puis gagne la Normandie, dont la capitale, Rouen, est alors la deuxième ville du royaume. Éléonore est émerveillée par la beauté de la cité et par ses monuments. Toujours empressé, le roi lui achète des vêtements brodés et des bijoux en or. Chaque soir ou presque, un banquet accueille la famille royale et sa suite. Le séjour à Rouen est si plaisant que la cour s'y attarde pendant tout un mois. Après quoi on gagne Le Havre, dont le port a été fondé par François lui-même. Puis, tandis qu'Éléonore et les filles du roi se rendent au château de Blois, le roi et le dauphin partent pour Caen. Le membre de la suite royale qui rédige la chronique du voyage n'a pas assez de superlatifs pour décrire les merveilles que recèle la cité : « L'une des plus belles, spacieuses, plaisantes et délectables villes du duché ; il n'y a ville d'Europe où il se fasse de plus beau et singulier linge de table que l'on appelle haute lice...

» L'Orne et l'Odon sont entourés de prairies où les habitants et la jeunesse se promènent, prenant plaisir à la saison du printemps et de l'été, comme aussi font les demoiselles, dames et bourgeoises n'y étendre et sécher leur beau linge. »

Et voilà que, le 14 mai 1532, le passé va soudain se rappeler au bon souvenir du Roi-Chevalier. Après un pèlerinage au Mont-Saint-Michel, toujours en compagnie de son fils, il arrive à Châteaubriant et pénètre dans l'antique forteresse, édifiée cinq siècles auparavant par le sire de Briant. Une foule de plusieurs milliers de personnes acclame le monarque, et le comte de Châteaubriant lui remet les clefs de la cité. François ne prête guère attention à cette nouvelle pluie d'honneurs, pas plus qu'à la liesse populaire que provoque sa venue. Non, ce qui le fascine, ce qui fait battre son cœur un peu plus fort, c'est la présence sur le seuil du château d'une belle jeune femme brune qui le contemple avec tendresse. À trente-sept ans – un âge avancé pour une femme à cette époque –, la comtesse de Châteaubriant n'a rien perdu de son charme ni de sa séduction...

Oui, Françoise est encore bien jolie, et le roi éprouve soudain une forte tentation de « revenez-y »... Une tentation que semble partager Mme de Châteaubriant, si l'on en juge d'après les regards qu'elle lui porte, ce qui prouve que l'âme de la comtesse est sans rancune. À moins qu'elle ne saisisse l'occasion de se venger de celle qui l'a supplantée ? Quels que soient les motifs de l'une et de l'autre, quand deux tentations se rencontrent, la meilleure façon de les faire passer... est d'y succomber. C'est bien ce qui va se produire.

Sur le moment, entourés d'une meute de courtisans, les anciens amants doivent se borner à n'échanger que des banalités, mais leurs yeux disent assez que le passé n'est pas mort. Le comte de Châteaubriant, pour sa part, ne paraît nullement contrarié par la présence du roi, comme s'il ignorait toujours ce qui s'est passé entre sa femme et lui. Cependant, si l'on en croit un témoin, en dépit de l'attitude détachée que le roi comme la comtesse s'efforcent d'observer, il est évident qu'une vive émotion s'est emparée d'eux, une émotion que Jean de Châteaubriant ne remarque pas, ou feint de ne pas remarquer. Avec une extrême courtoisie, sachant l'intérêt que le roi prend au domaine de l'architecture, il le conduit sur le chantier des importantes réparations effectuées sur la forteresse et lui en détaille les différents aspects. Pour une fois, François ne semble guère passionné par le sujet, d'autres préoccupations l'agitent dont il est aisé d'imaginer la nature.

La nuit venue, il va mettre à exécution le projet qui le hante depuis qu'il a revu la comtesse. Peu à peu, tous les habitants du château se sont retirés. Le roi occupe un vaste appartement au premier étage, relié par un escalier dérobé à l'étage du dessus, celui où loge la belle comtesse... Est-ce elle qui a eu l'idée de cet aménagement ? En tout cas, François ne va pas manquer d'en profiter. Peu après minuit, Françoise a la surprise – mais est-ce une surprise ? – d'entendre heurter à la porte de sa chambre et, sans même qu'il ait attendu la réponse, de voir le roi se glisser à l'intérieur de la pièce. Ce qui se passe ensuite est du domaine des conjectures, seules quelques confidences faites au fidèle Montmorency nous apprennent que le roi ne sortira pas des appartements de Françoise avant le petit matin. Ce qui démontre que la jeune femme n'a pas dû faire trop de difficultés pour rejoindre les sentiers des plaisirs anciens en compagnie de son royal soupirant.

Le lendemain, revenus apparemment dans les meilleurs termes, tous deux partent pour une promenade à cheval. François est tellement satisfait du comportement de la comtesse qu'il s'en ouvre à plusieurs de ses compagnons de voyage. D'après ses dires, lorsqu'il est entré dans la chambre de la comtesse, celle-ci a d'abord feint la surprise, puis elle a adressé des reproches à son amant : comment avait-il pu se séparer d'elle avec tant de brusquerie, mettre fin à près de dix années de tendresse et de dévouement pour une péronelle de dix-huit ans dont il ne savait rien ? À toutes ces récriminations François a opposé des protestations d'amour, puis il a pris Françoise dans ses bras... et n'a pas eu besoin d'autres arguments...

Durant les jours suivants, le roi ne quitte guère la comtesse, on se croirait revenu aux plus beaux temps de leurs amours. Ce sont de longues promenades en tête à tête ou encore, sous le prétexte de lui faire la lecture des poètes grecs et latins dont il raffole, Mme de Châteaubriant s'enferme avec lui dans la bibliothèque du château. L'absence d'Anne de Pisse-leu, qui a été obligée de suivre la reine Éléonore à Blois, facilite évidemment le retour de flamme. Mais, même à distance, Anne connaît suffisamment le roi pour se méfier et supposer que ces retrouvailles avec la comtesse ne sont pas innocentes. Tenue par force éloignée, elle ronge son frein et guette avec impatience le moment où elle pourra « récupérer » son amant... avec tous les avantages matériels qui en découlent.

Quant au comte de Châteaubriant, occupé aux travaux de réfection qu'il a entrepris, il prend bien soin de ne pas troubler les entretiens de sa femme avec le roi. Entretiens réussis sans aucun doute, puisque la cour, qui ne devait passer que quelques jours à Châteaubriant, y demeurera près de deux mois. En partant, le roi laisse à Françoise un témoignage concret de sa satisfaction, sous la forme suivante :

« Don à Françoise de Foix, dame de Châteaubriant, de la châtellerie, terre et seigneurie de Suscinio, en Bretagne, pour en jouir pendant dix ans, dont le revenu lui sera payé par le receveur du dit lieu. »

Françoise a bien mérité cet acte de générosité, qu'elle n'a d'ailleurs nullement sollicité, mais François est fixé depuis longtemps sur le désintéressement de la comtesse et sur la sincérité des sentiments qu'elle nourrit pour lui.

Sans doute est-ce pour cela que, profitant de ses séjours à Amboise, le roi poussera parfois jusqu'à Châteaubriant, où il sera toujours accueilli par la comtesse avec la même humeur souriante... et le même empressement.

Le cortège royal – devant le nombre de personnes qui accompagnent le roi et de voitures qui les transportent, on a parfois envie d'écrire, avec quelque irrévérence, le « cirque royal » – se dirige maintenant vers Nantes où il se trouve au début du mois d'août, avec un but précis. Après avoir consacré quelques semaines de son temps à l'amour, François Ier se tourne vers une autre de ses activités : la politique. De quoi s'agit-il ? Tout simplement d'assurer la mainmise définitive de la France sur la Bretagne. Bien qu'épouse du roi de France, la défunte reine Claude avait conservé son titre de duchesse régnante de Bretagne et ne s'en était jamais dessaisie au profit de son mari. À sa mort, par testament, elle a fait de son fils aîné, le dauphin François, son légataire universel ; pour sa part, François Ier a été nommé « père, légitime administrateur et usufruitier des biens de son cher et très aimé fils ».

Pour affirmer de manière éclatante sa position, le dauphin se présente à Rennes, l'une des deux capitales de la province, et s'y fait proclamer duc souverain. Le 14 août 1532, il obtient la couronne ducale sous le nom de François II et préside un banquet officiel au cours duquel il distribue titres de chevalerie et récompenses diverses... Après quoi, il reçoit de son père l'ordre de venir le rejoindre à Nantes, l'autre capitale de la Bretagne, dans les plus brefs délais. Le roi, en vieux renard de la politique, se méfie ; il ne tient pas à ce que les honneurs montent à la tête de son fils et que celui-ci oublie qu'il n'y a en Bretagne comme en France qu'un seul monarque, François Ier.

Le jeune prince s'empresse d'obtempérer. À Nantes, il retrouve son père, sa belle-mère et la suite de celle-ci.

Parmi les dames qui accompagnent Éléonore figure Anne de Pisseleu. La favorite est inquiète et son inquiétude redouble quand elle est informée des largesses de son amant en faveur de la comtesse de Châteaubriant. Anne n'apprécie pas du tout cet acte de générosité ; elle considère que tout ce qui ne tombe pas dans sa propre escarcelle lui a été dérobé !

— Comment pouvez-vous avoir plaisir à voler ainsi pour une noire corneille ? reproche-t-elle à son amant.

Une fois n'est pas coutume, François n'est pas décidé à se laisser faire :

— Et quand je suis avec vous, pour qui volé-je ? riposte-t-il. Anne, qui nourrit une haute estime pour sa « valeur marchande », réplique en toute modestie :

— Pour un phénix !

Cette absence de pudeur irrite le roi. Oubliant sa galanterie coutumière, c'est sans ménagement qu'il remet la jeune femme à sa place :

— Vous êtes si maigre que vous pourriez dire pour l'oiseau de paradis, qui a plus de plumes que de chair ! lance-t-il, et la jeune femme doit encaisser la rebuffade sans protester.

Elle a quand même droit à une compensation. Afin de lui assurer à la cour une position inattaquable, François songe depuis longtemps... à la marier. Situation paradoxale en apparence seulement : c'est une tradition qui perdurera que toute favorite royale doive être mariée... Il s'agit en effet de lui octroyer une respectabilité que seul le mariage peut apporter. D'ailleurs, c'est Anne qui inaugurera cette tradition, sans que ses rapports avec le roi s'en trouvent modifiés le moins du monde. C'est évidemment un « mari de paille » que François Ier va lui choisir, car il s'agit bien d'un choix. Ils sont en effet une bonne douzaine à postuler au titre et à la « fonction » d'époux de la favorite royale. Il faut dire que c'est une situation d'avenir, le mari pouvant espérer recueillir une part des largesses de l'amant ;

même s'il doit se contenter des miettes du festin royal, il y a là de quoi satisfaire son appétit. Avant de désigner l'heureux élu, François s'amuse à énumérer devant Anne les qualités et les défauts des différents candidats. Exercice à la fois plaisant et insolite, qui tient davantage de l'arithmétique et de la recette de cuisine que de la préparation à l'hymen. Parfois, simulant la perplexité, il demande à la jeune femme celui qu'elle préfère et s'attire toujours la même réponse :

— Mon cher Sire, prenez celui qui vous convient le mieux. De toute manière, n'est-ce point à vous que j'ai donné mon cœur ?

Finalement, le roi et sa maîtresse tombent d'accord sur le nom de Jean de Brosses, comte de Penthièvre, qui semble réunir toutes les conditions pour remplir l'emploi qu'on lui destine. C'est un homme discret, qui ne fera pas d'histoires et se contentera des profits matériels que lui vaudra son état de cornard. Autre avantage, il est sans fortune, il n'en accueillera qu'avec plus de gratitude celle qui va lui tomber du ciel... de lit royal ! Son père s'était compromis avec le connétable de Bourbon, mais il avait effacé cette tache en trouvant à Pavie une mort glorieuse. Ses biens, d'abord confisqués, lui avaient été restitués sur ordre de François Ier, en attendant un duché d'Étampes qu'il devra aux charmes de son épouse.

Le mariage est célébré au mois de septembre à Nantes devant une vaste assistance, au premier rang de laquelle le roi se montre particulièrement joyeux.

Spectacle plaisant que de voir l'amant conduire sa maîtresse vers un autre, dont tout le monde sait qu'il ne sera qu'un figurant appointé, et cela en invoquant la bénédiction du Seigneur. Au moment où Mlle de Pisseleu prononce le « oui » sacramentel et promet à son époux obéissance et fidélité, les membres de l'assistance ont bien du mal à retenir leur envie de rire.

La chronique ne nous dit pas ce que fut la nuit de noces de la jeune mariée, mais, comme nous connaissons l'esprit gaillard et paillard de François Ier, on peut gager qu'elle la passa... en sa compagnie plutôt qu'en celle de son mari. D'après les rumeurs, il semble que le mariage d'Anne de Pisseleu avec Jean de Brosses ne franchira jamais les limites du mariage blanc. Cette sagesse d'Anne vis-à-vis de son époux peut surprendre puisqu'on verra, un peu plus loin, qu'elle fut beaucoup moins scrupuleuse à l'égard d'autres gentilshommes.

Selon son habitude, le roi se montra généreux envers les nouveaux époux, leur allouant un cadeau de noces de soixante-douze mille livres. Il va bientôt faire encore mieux en nommant la comtesse de Penthièvre – c'est là le nom qu'elle porte à présent, en attendant de devenir duchesse d'Étampes – gouvernante de ses deux filles, les princesses Madeleine et Marguerite. Sans aucun doute, si Madame Louise avait été encore de ce monde, jamais son fils n'aurait osé braver ainsi la morale familiale, mais Anne a tellement insisté, usant de ses « arguments » bien connus, que François a fini par céder. Si la nouvelle Mme de Penthièvre tient tellement à la fonction, c'est certes en raison de l'importance qui s'y attache, mais plus encore en raison de ce qu'elle rapporte ! Un reçu adressé au roi et signé de la gouvernante, parvenu jusqu'à nous, nous informe que la comtesse de Penthièvre a reçu la « somme de seize cents écus d'or, en faveur des bons et agréables services que nous avons ci-devant faits à Madame Marguerite de France, faisons et continuons chaque jour ».

Si nous voulions une preuve de plus de l'âpreté au gain de l'ex-Mlle de Pisseleu, nous l'avons. La cupidité de la favorite de François Ier sera toutefois dépassée par celle de la favorite suivante : Diane de Poitiers sera chère – dans tous les sens du terme – au fils et successeur du monarque.

Quant à Jean de Brosses, il est récompensé de sa complaisance par les gouvernements du Bourbonnais, de l'Auvergne et de la Bretagne, où il succède... à Jean de Châteaubriant, le mari de l'ancienne favorite ! Ainsi, la fonction ne sort pas de la famille ! Mais si Anne de Penthièvre fait la fortune de son époux, elle entend en tirer un profit personnel : c'est à elle qu'on versera les pensions de son mari. Il n'y a pas de petits bénéfices !

Les nouvelles largesses de François permettent au moins d'apaiser les fureurs jalouses d'Anne ; celle-ci ne récrimine pas trop quand le roi, quittant Nantes pour se rendre à Chambord, lui apprend qu'il compte faire un détour... par Châteaubriant. L'image de la belle comtesse revient en effet par accès dans les pensées du roi et ravive son désir. Le voici donc, tout pimpant, qui se présente chez les Châteaubriant. Le comte, après l'avoir reçu des plus courtoisement, s'éclipse aussitôt sous le prétexte d'aller visiter quelques-uns des domaines qui réclament sa présence. Cette obstination à laisser sa femme seule avec le roi a intrigué les historiens et explique peut-être la cruauté de la vengeance qu'il aurait exercée sur elle par la suite, sans que l'on ait d'ailleurs aucune certitude absolue sur la réalité de cette vengeance. Mais n'anticipons pas et laissons les amants profiter des instants de plaisir qui leur sont accordés.

Après quelques jours passés en si douce compagnie, le roi rejoint le cortège royal afin de gagner Chambord, dont il dit, à chaque fois qu'il s'y rend : « Je vais chez moi. »

Prétention justifiée, car Chambord est son œuvre, ou plutôt son chef-d'œuvre.

Depuis treize ans, sur son ordre, deux mille ouvriers y travaillent sans relâche. Le donjon, couronnement de l'édifice, fut commandé au Boccador, le fameux architecte qu'il a fait venir tout exprès d'Italie. Comme l'écrira plus tard Alfred de Vigny, « au cours d'un conte des Mille et Une Nuits, un génie venu de l'Orient a enlevé le château au pays du soleil pour le cacher au pays des brouillards avec les amours d'un beau prince». Quatre siècles et demi après son achèvement, le voyageur qui découvre la perspective du château de Chambord éprouve toujours la même sensation de merveilleux, comme si quelque enchanteur en avait conçu l'apparence, comme s'il s'agissait d'un mirage de la beauté, visible seulement des initiés. Oui, il y a de la magie dans ce château sorti du rêve d'un roi-chevalier... Sur le toit, comme le décrit un témoin, «une manière de ville suspendue, une ville de tourelles, de hautes cheminées carrées, de tours d'angle, de lucarnes, forme une éclatante parure à la célèbre lanterne qui, ornée de salamandres, soutient la gigantesque fleur de lys de France». Et comme chez François le culte de la femme est toujours présent, il a voulu que «cette féerie de pierres blanches fût coiffée d'une terrasse destinée aux dames qui suivaient la chasse royale».

C'est encore une affaire de femmes qui va se trouver au centre des entretiens politiques que doit avoir François Ier avec son homologue Henri VIII d'Angleterre, fin octobre 1532. Pour qu'il n'y ait pas de jaloux, il a été prévu que la conférence se tiendrait à moitié en France, à Boulogne, et à moitié en Angleterre, c'est-à-dire à Calais. Il ne faut pas oublier en effet que, séquelle de la guerre de Cent Ans, Calais est encore territoire britannique. C'est l'Anglais qui a pris l'initiative de la rencontre. Le motif en est pour le moins insolite : Henri est impatient de se débarrasser de son épouse, Catherine d'Aragon, dévote et ennuyeuse, sans qu'on sache ce qui chez elle l'emporte de la dévotion ou de l'ennui, les deux allant la main dans la main... Si Henri VIII est aussi pressé de répudier sa femme, c'est qu'il est tombé follement amoureux d'une de ses dames d'honneur, Anne Boleyn, et comme il ne se satisfait pas d'en faire sa maîtresse, il entend qu'elle devienne aussi la très officielle reine d'Angleterre. Pour obtenir du pape Clément VII l'annulation de son mariage, il compte sur l'aide de François Ier. Pour sa part, il ne déplaît pas à l'esprit romanesque de François de prêter la main à une histoire d'amour, même si ce n'est pas la sienne. Par ailleurs, il a besoin de l'alliance du roi d'Angleterre pour contrebalancer la menace que Charles Quint fait toujours peser sur la France.

L'entrevue sera sans comparaison avec la magnificence et l'éclat qui présidèrent à leur précédente et fameuse rencontre du Drap d'or. Celle-ci doit se dérouler dans l'intimité... si l'on peut qualifier ainsi un rendez-vous où chacun des monarques n'est accompagné que... par deux mille cinq cents gentilshommes ! François a quand même consenti un sacrifice à la simplicité : il se contentera de six tenues de velours et limitera le nombre des pierreries qui orneront ses vêtements !

L'entrevue doit se dérouler « entre hommes », ce qui se comprend, vu son caractère un peu spécial. Henri VIII a instamment prié « son bon frère de ne se point faire accompagner par dame Éléonore », prétextant qu'il a une sainte horreur « pour son habillement à l'espagnole qu'il lui semble voir le diable ». En réalité, son épouse, Catherine, étant la tante d'Éléonore et de Charles Quint, l'Anglais se sentirait mal à l'aise de traiter devant la reine de France de la répudiation de la reine d'Angleterre. François a obtempéré, et il en a profité pour laisser aussi à la maison la comtesse de Penthièvre. Peut-être tient-il à avoir les coudées franches car, dans une lettre confidentielle, son ambassadeur en Angleterre lui a laissé entendre qu'il y aurait dans la suite d'Henri VIII certaines demoiselles favorables... à un rapprochement franco-britannique !

Le 21 octobre, le roi de France est donc exact au rendez-vous, mais le roi d'Angleterre, lui, ne l'est pas :

le mal de mer l'a tellement éprouvé qu'il demeure couché deux jours. Enfin rétabli, il se précipite à Boulogne. Les deux hommes en se retrouvant répètent les gestes qu'ils avaient eus lors de leur rencontre du Camp du Drap d'or, « ils se baisent moult et moult fois, au front, aux joues, à la bouche ». C'est également sur la bouche qu'Henri embrasse les fils de François, et comme il est en veine de tendresse, il saute au cou des hauts dignitaires de l'Église et de la noblesse qui accompagnent le roi de France. Gagnés sans doute par la contagion de l'exemple royal, les membres de la suite d'Henri embrassent à leur tour les gentilshommes français, si bien que, d'embrassades en embrassades, plus d'une heure s'écoule. Mais Henri ne se borne pas à ces « câlineries », il annonce à François qu'il lui fait cadeau d'une dette de trois cent mille écus d'or que le roi lui avait empruntés lorsqu'il avait dû payer à Charles Quint la rançon de ses fils... Quand on connaît l'avarice du roi d'Angleterre, on s'aperçoit à quel point il souhaite épouser Anne Boleyn et combien il compte sur François pour venir à bout de l'obstination du souverain pontife. Celui-ci, dans la crainte de mécontenter Charles Quint, se refuse toujours à accorder l'annulation du mariage du souverain avec la tante de l'empereur. Henri VIII piaffe d'impatience et de colère à l'idée de devoir attendre pour poser la couronne sur la tête de la femme qu'il aime. Ne pouvant plus se contenir, il finira par rompre avec l'Église de Rome, événement qui bouleversera le destin de son pays.

À ce propos, il convient de remarquer la différence de comportement entre les rois de France et d'Angleterre. Alors que, pour les beaux yeux d'une femme, Henri n'hésite pas à précipiter l'Angleterre dans un schisme d'une portée considérable, François, quelle que soit la force des sentiments qui l'attachent à sa favorite, ne laissera jamais celle-ci influencer sa politique. Certes, Anne de Pisseleu, nous l'avons dit, parviendra à placer certains de ses amis aux postes de commande en écartant ceux qui n'ont pas le bonheur de lui plaire, mais là se situeront les limites de son pouvoir, son royal amant n'acceptant pas de voir son autorité amoindrie.

En attendant, l'Anglais se fait pressant auprès du roi de France pour obtenir un concours total à ses desseins. Après avoir commencé à Boulogne, les conversations se poursuivent à Calais, où François a la surprise de retrouver la principale intéressée, Anne Boleyn. Henri, en effet, n'a pu supporter de demeurer plus de trois jours éloigné de la jeune femme. Toujours galant, François lui offre une bague ornée d'un superbe diamant et ouvre avec elle le bal donné en son honneur. Il la connaît bien, cette redoutable séductrice. Anne Boleyn, encore très jeune, a fait partie de la suite de la reine Marie, la si jolie veuve de Louis XII, dont on se souvient qu'elle avait provoqué les désirs de François et manqué compromettre son accession au trône. François avait-il alors jeté aussi les yeux sur Anne ? D'après ce que nous savons de lui, cela n'aurait rien d'impossible. La donzelle a donc séjourné longtemps en France, où elle a, selon Brantôme, appris la galanterie « dans la plus fameuse "école d'Amour" ; car c'est ainsi qu'on pouvait appeler la Cour de France ». En tout cas, elle a bien profité des leçons qu'on lui a dispensées, si l'on en juge par l'habileté avec laquelle elle a ensorcelé le souverain d'Angleterre.

Durant qu'elle était en France, la réputation de ses charmes était déjà solidement établie et lui avait valu d'inspirer ces quelques vers au poète Lancelot de Carles :

Vous ne l'eussiez oncques jugé Anglaise
En ses façons, mais naïve Française ;
Elle savait bien chanter et danser
Et ses propos sagement agencer.

173

Outre ces biens et grâces tant exquises
Qu'avait en France heureusement acquises,
Elle était belle et de taille élégante,
Elle était des jeux encore plus attirante.

De surcroît, l'exemple que lui avait offert la coquette Marie avait achevé de parfaire l'« éducation » d'Anne Boleyn. À Calais, après la danse, elle entraîne François Ier à l'écart et utilise tous les artifices de sa séduction pour le convaincre d'embrasser sa cause et de plaider celle-ci auprès du pape, qu'il doit prochainement recevoir à Marseille. Un projet de mariage a été conclu entre la petite-cousine du souverain pontife, la toute jeune Catherine de Médicis, et le fils cadet du roi, Henri d'Orléans, et les jeunes gens doivent être unis prochainement dans la ville de Marseille, où Clément VII se rendra à cette occasion. Le roi de France ne peut-il profiter de la circonstance pour amener le pape à moins de rigueur ? C'est ce qu'Anne Boleyn suggère à François Ier, accompagnant sa prière d'un manège de coquetterie auquel le roi de France n'est pas insensible. Mais, par respect pour son homologue britannique, il résiste à la tentation qu'il éprouve de tenter sa chance auprès de la belle Anglaise.

Autre rencontre qui lui rappelle des souvenirs : celle du duc de Suffolk, l'amant de la « Reine galante », qui l'avait accompagnée en France lors de son mariage avec Louis XII et qu'elle avait épousé ensuite, après son veuvage. C'est un homme tout à son chagrin que François retrouve, car la jolie Marie a quitté ce monde quelques mois auparavant, et Suffolk n'arrive pas à se consoler de sa disparition.

Et maintenant, en route pour Marseille... par le chemin des écoliers ! La cour se rend d'abord à Fontainebleau ; il tardait à François de revoir Anne de Pisseleu. La comtesse de Penthièvre commence par faire une scène à son amant dont elle soupçonne qu'il s'est livré à quelques fredaines lors de son séjour dans le Nord. Soupçon d'ailleurs justifié : une dame anglaise de la suite d'Henri VIII a accordé au roi de France... un assez long entretien. Il faut croire que Mme de Penthièvre a un espion dans l'entourage de François puisqu'elle semble tout à fait au courant de l'aventure.

Après ces préliminaires orageux, les deux amoureux ne tardent pas à se réconcilier. Là-dessus, le mari d'Anne s'étant avisé de rendre visite à sa femme, celle-ci lui signifie qu'il s'agit là d'une initiative malheureuse, et le comte, fort peu contrariant, se retire prestement dans ses terres.

Le roi va profiter du voyage à Marseille pour effectuer l'une de ces « tournées » de propagande dont il est si friand ; elles renforcent sa popularité et dispensent à ses oreilles l'agréable musique des ovations. Aussi prend-il son temps. Ayant décidé de passer par Toulouse, il y arrive le 1er août, rejoint le lendemain par la reine Éléonore. Celle-ci est toujours émerveillée par ces promenades qui prennent souvent des allures de triomphe. En litière dorée, tirée par des chevaux caparaçonnés d'étoffes d'or et d'argent et montés par des pages somptueusement vêtus, Éléonore ne se tient plus de fierté. Elle-même ne brille pas par la simplicité de sa tenue : robe de brocart or et rouge, bonnet noir orné de pierreries, lourd collier d'or et de diamant... Le dauphin, ses deux frères Orléans et Angoulême font aussi partie du cortège. Outre les deux fils de son mari, Éléonore est escortée par une centaine de dames montées sur des haquenées. Avec une telle suite, la reine ne risque pas de passer inaperçue. C'est précisément ce qu'elle souhaite, ayant pris goût aux démonstrations de liesse populaire.

Parmi les jeunes cavalières qui l'accompagnent, Anne figure en bonne place. Sa présence donne lieu à un curieux chassé-croisé : le roi naviguant en général avec un jour d'avance sur la reine, il lui arrive, pris d'un désir soudain, de sauter certaines nuits sur son cheval et de rebrousser chemin pour retrouver sa favorite, qu'il quitte ensuite au petit matin afin de regagner son propre cortège. Naturellement, cette opération se déroule de manière clandestine ; en principe, du moins, les escapades nocturnes du roi étant vite connues de tous... sauf de la reine, comme il se doit.

La famille royale finit cependant par atteindre Marseille le 8 octobre 1533, le mariage du prince Henri et de Catherine de Médicis étant prévu pour la fin du mois. Alliance apparemment surprenante entre cette petite-fille d'épiciers florentins et le fils cadet du roi de France. Ce dernier ne s'y est décidé qu'en raison des prétentions potentielles de la future sur Florence et Milan ; toujours le mirage italien qui revient avec ponctualité dans les rêves de François Ier...

Le pape Clément VII, quant à lui, a aussi longuement hésité, craignant de mécontenter Charles Quint en donnant celle qu'il nomme sa « nièce », bien qu'elle ne soit que sa petite-cousine, à un prince français.

Enfin, après dix-huit mois d'atermoiements, voici le souverain pontife qui fait son entrée en grande pompe dans le port de Marseille. Un pavillon a été spécialement édifié pour le recevoir, et le roi de France l'y attend afin de lui rendre l'hommage traditionnel... c'est-à-dire pour lui baiser les pieds ! La suite est moins solennelle : les deux hommes se livrent à d'âpres discussions, qui tiennent du marchandage et portent à la fois sur les projets italiens de François Ier, sur les intentions du pape vis-à-vis de l'empereur d'Allemagne et sur la requête du roi d'Angleterre en vue de l'annulation de son mariage.

La fiancée devra attendre une dizaine de jours que tous les problèmes soient résolus pour atteindre à son tour la grande cité provençale. Lorsqu'elle fait son entrée, l'impression est réservée. À quatorze ans, Catherine de Médicis est loin d'être une beauté : une taille épaisse, un visage bouffi, un nez trop protubérant, des yeux légèrement globuleux, elle n'a rien qui puisse enthousiasmer le jeune Henri. Celui-ci la considère avec une indifférence polie qui témoigne assez de la fraîcheur de ses sentiments. D'ailleurs, Catherine eût-elle été une beauté qu'elle n'eût pas davantage séduit son futur époux. Plus que jamais le cœur du jeune homme bat pour Diane de Poitiers. Depuis que celle-ci a proposé à François Ier d'en faire son « galant », le prince a pris très au sérieux son rôle de chevalier servant, et si les sentiments qu'il éprouve sont encore platoniques, ils ne tarderont pas à prendre une forme plus concrète.

Diane est trop subtile pour n'avoir point perçu les états d'âme du jeune homme. Veuve depuis un an de son vieux mari, elle fait à la cour de fréquents séjours, qui entretiennent la flamme de son soupirant et assoient davantage sa propre position. Devant les mines énamourées du futur Henri II, elle commence à envisager les avantages qu'elle pourra tirer de cette passion. Certes, le prince n'est pas l'héritier du royaume puisqu'il a un frère aîné, et nul ne peut alors se douter que c'est cet adolescent taciturne et introverti qui montera dans quelques années sur le trône de France, mais il n'empêche qu'il constitue un atout précieux dans le jeu de Diane. Quand elle le voit, lors des joutes, arborer ses couleurs, elle éprouve un sentiment de fierté qu'elle dissimule sous un comportement apparemment modeste.

En attendant, le 28 octobre, c'est le grand jour ! Vêtu des pieds à la tête de satin blanc, le roi mène à l'autel sa jeune belle-fille. Comme toujours en pareille circonstance, il manifeste une humeur joyeuse et un entrain contagieux. Lors de la fête qui suit la cérémonie du mariage, il va conduire le bal, ne prenant pas le temps de souffler et séduisant les dames présentes par ses manières empressées. L'ambassadeur de Milan, don

Antonio Sacco, rapporte qu'après la danse « le roi voulut lui-même mettre au lit les époux, et quelques-uns disent qu'il voulut les voir jouter ». ... Et l'ambassadeur d'ajouter que le jeune prince fut « vaillant à la joute ». Incident pittoresque, parmi les cadeaux offerts par le roi à la nouvelle mariée et à sa famille figure... un lion, de taille imposante. L'animal en question lui a été donné quelque temps auparavant par le pirate barbaresque Barberousse dans l'espoir de se faire pardonner le pillage de nombreux navires chrétiens. Certes, ce lion apprivoisé est doux comme un agneau, mais il ne manque pas de poser des problèmes à François, tout heureux de l'offrir à Hippolyte de Médicis, un cousin de Catherine... et de s'en débarrasser par la même occasion.

Ainsi, pendant plusieurs jours, l'euphorie règne à Marseille, aussi bien dans l'entourage du roi de France que dans celui du souverain pontife. François, notamment, a apprécié l'effet qu'il a produit sur la nombreuse compagnie féminine présente aux cérémonies. Ce séducteur impénitent a sans cesse besoin de plaire...

Hélas, ce climat de quiétude ne va pas durer, par la faute d'une gaffe magistrale commise par Henri VIII. Celui-ci ayant formellement répudié son épouse, Catherine d'Aragon, il a été l'objet d'une mesure d'excommunication de la part du pape, mesure que François Ier tente de faire lever, en exposant au pape les inconvénients qui résulteraient de pousser à bout le roi d'Angleterre. Et voilà que ce dernier envoie à Marseille deux messagers qui forcent la porte du pape et le mettent en demeure d'annuler sur-le-champ la peine frappant leur maître. Fureur de Clément VII, qui mêle dans un même ressentiment l'Anglais et le Français, qu'il accuse de collusion.

François essaie d'apaiser la colère du pontife et, en même temps, ne cache pas sa façon de penser aux envoyés d'Henri VIII :

— C'est dans le moment où je me rends chez le pape pour en arriver à une conclusion en votre faveur que je vous trouve faisant semblable appel ! C'est bien le pire que vous ayez fait ! Dès que je m'applique à gagner le pape, vous travaillez à l'indisposer... Vous avez tout gâté ! J'aurais préféré perdre une grosse somme d'argent que de me mêler de tout cela... Dites bien à mon frère qu'il n'y a rien à obtenir du pape avant qu'il ait lui-même annulé tout ce qu'il a fait, car, pour la défense de sa juridiction, le pape demandera le secours de l'empereur et de toute la chrétienté.

Finalement, Clément VII ne reviendra pas sur sa décision, ce qui n'empêchera pas Henri VIII d'épouser Anne Boleyn, se proclamant lui-même le chef de l'Église d'Angleterre, avec pour conséquence une rupture définitive avec celle de Rome. Une erreur que l'amour n'aurait jamais fait commettre à François Ier, éternel amoureux... mais avant tout soucieux des intérêts de son royaume.

8

La petite guerre des favorites

Son mariage de raison n'a pas éloigné le prince Henri de la dame de ses pensées ; même s'il a rempli auprès de son épouse ses devoirs conjugaux, ce sont bien là les termes qui s'imposent car jamais Henri ne confondra ses devoirs avec son plaisir, la jeunesse ingrate de Catherine de Médicis ne pouvant rivaliser avec la somptueuse maturité de la dame d'Anet. L'Italienne l'a bien compris, qui, avec une humilité quasi servile, se garde bien d'empiéter sur les prérogatives de la favorite. Non, Diane aurait tort de se soucier d'elle, et d'ailleurs elle ne s'en soucie pas. Une autre rivale lui paraît plus dangereuse : la favorite en titre, Anne de Pisseleu. Non qu'elles chassent sur le même terrain, mais chacune voit en l'autre une candidate à la manne royale. Si Diane a sans doute l'avenir pour elle, étant donné la jeunesse du prince Henri, Anne, en revanche, étend chaque jour un peu plus son emprise sur le roi. Encore une marque de faveur, François vient de lui attribuer le duché d'Étampes. La nouvelle duchesse va profiter de son pouvoir grandissant pour placer ses amis et écarter ses ennemis. Tandis que l'amiral Chabot de Brion est propulsé à la tête des armées, le duc de

Montmorency s'en voit privé sur intervention de la dame. Coïncidence ? Montmorency est un fidèle de Diane de Poitiers. Ainsi commence entre les deux femmes une lutte, sournoise d'abord, ouverte ensuite, qui s'amplifiera à mesure que grandira le rôle d'Henri d'Orléans.

L'éviction de Montmorency se produit au moment même où les hostilités se rallument. Les deux beaux-frères ennemis, François Ier et Charles Quint, ont trouvé un nouveau sujet de querelle, toujours à propos de l'Italie. Bien sûr, le dauphin et son frère cadet doivent suivre leur père en campagne ; leur participation à la bataille sera du meilleur effet sur l'opinion publique. Henri va donc devoir s'éloigner de sa dame, non sans lui avoir fait des adieux en tête à tête. D'après la chronique du temps, l'adolescent timide, sous l'empire de l'émotion, ose laisser monter à ses lèvres l'aveu que son cœur jusque-là retenait, aveu qui comble d'aise la jolie veuve. Même si elle a le triomphe discret, elle ne doute plus à présent que des lendemains prometteurs s'ouvrent à sa convoitise.

L'évolution des sentiments entre Diane et Henri, même si elle n'a, au début, qu'un rapport indirect avec les amours de François Ier et d'Anne d'Étampes, ne va pas manquer d'interférer sur elles à mesure que passera le temps. C'est pourquoi il convient d'en suivre les péripéties, d'autant qu'un événement d'une portée considérable ne va pas tarder à se produire.

En attendant de partir pour la guerre, François Ier a offert à sa maîtresse de nouveaux témoignages de son attachement. Le plus cocasse, c'est que les faveurs dont elle bénéficie passent par l'entremise... de Jean de Brosses, son époux de paille. Notamment ce brevet de duc d'Étampes du 18 janvier 1536, donné à ce mari si complaisant « ayant égard et singulière considération au bon et agréable service que notre cher et aimé cousin nous fait ordinairement chaque jour »... Quand on sait que le « bon et agréable service fait chaque jour » consiste à laisser sa femme fréquenter la couche royale chaque nuit, le propos ne manque pas de saveur. Le « cher et aimé cousin » recueille donc le bénéfice de son déshonneur ; il est fait duc de Chevreuse, avec en prime de nombreux fiefs et plusieurs seigneuries. Afin qu'il ne soit pas tenté de s'attarder à la cour, où sa présence est évidemment inopportune, Jean de Brosses est nommé gouverneur de l'Auvergne, avec mission de rejoindre son gouvernement dans les plus brefs délais.

La générosité royale ne s'arrête pas à ce mari complaisant, la famille d'Anne recueille elle aussi ses parts du gâteau : son oncle reçoit l'évêché d'Orléans et, un peu plus tard, devient cardinal-archevêque de Toulouse ; trois de ses frères sont également pourvus d'un évêché, et ses sœurs d'abbayes. Comme quoi, pour parvenir au sommet de la hiérarchie ecclésiastique, il est heureux que les voies du Seigneur soient impénétrables ! Il faut dire que la jeune Anne connaît les points faibles du roi. Comme l'écrit Marie de Hongrie à son propos, « la demoiselle fait tout ce qui plaît et le roi est tout gouverné par Mme d'Étampes ».

Si l'on veut obtenir quelque faveur du roi, il est prudent de s'adresser d'abord à sa maîtresse. Quand on néglige cette précaution, on risque fort de s'attirer les foudres de la dame, ainsi qu'en témoigne la mésaventure arrivée à Benvenuto Cellini. Venu en France à la demande du roi, le grand artiste italien avait achevé une statue représentant *Jupiter tonnant*. Mais, au lieu de soumettre son œuvre au jugement de la duchesse, le sculpteur commit l'imprudence de se rendre directement à Fontainebleau afin de la montrer au roi. Qu'a-t-il fait là ? Quel crime de lèse-majesté ! La duchesse s'y prend de telle manière qu'elle empêche le roi d'aller admirer la statue avant que la nuit ne soit venue. L'œuvre, sous la frêle lumière des chandelles, n'est pas mise en valeur. Mais l'artiste est habile : il mêle une torche aux foudres que brandit Jupiter, ainsi sa statue se trouve si brillamment éclairée que tous ceux qui la contemplent clament leur admiration. François Ier a beau être amoureux, il ne perd pas pour autant sa lucidité. Fixant la duchesse, il déclare à son intention :

— Ceux qui ont voulu nuire à cet homme lui ont fait une grande faveur !

Mais Anne a de la suite dans les idées, et surtout dans les rancunes. Elle n'épargne pas sa peine pour calomnier Benvenuto Cellini aux yeux du roi et, finalement, elle a le dernier mot : le grand artiste devra quitter la France et rejoindre la cour de Cosme de Médicis, le duc de Toscane.

Pour la campagne qui s'annonce, François Ier procède à une réorganisation complète de l'armée, qui préfigure déjà, par certains aspects, ce qu'elle sera de nos jours. Développant le recrutement province par province, le roi entend créer ainsi à l'intérieur de chaque unité un esprit de corps bénéfique. Mais dans le domaine militaire, comme dans d'autres, l'éternel féminin n'est jamais absent de ses pensées. Parmi les dispositions nouvelles régissant la discipline, les soldats devront traiter les femmes avec tout le respect qui leur est dû. Ils n'auront plus le droit, comme ils le faisaient jusque-là, d'accueillir des filles dans leurs campements entre chaque combat. Cette pratique débouchait sur une véritable invasion de ribaudes qui semaient une pagaille fort préjudiciable pour la suite des hostilités. En outre, en présence d'une dame, les soldats ne pourront plus jurer ni proférer les affreux blasphèmes qui composent leur vocabulaire ordinaire. Ces mesures constituent une petite révolution dans les habitudes militaires. Pour être sûr d'être obéi, le roi a édicté des punitions qui ne ressemblent pas à des plaisanteries : on coupera les oreilles et on percera la langue des contrevenants ! En cas de récidive, ils seront occis purement et simplement ! Ne nous étonnons pas de ce châtiment disproportionné avec le délit : comme l'écrit Brantôme, ces gens sont « fainéantz pilleurs et mangeurs de peuple ».

D'autres dispositions contribuent à donner à cette armée nouvelle un aspect moderne, qu'il ne nous appartient pas de détailler ici. Revenons plutôt au conflit qui, une fois de plus, oppose la France à l'Allemagne, avec encore pour enjeu la sacro-sainte Italie, toujours aussi chère à François Iᵉʳ.

Un étrange jeu de bascule se produit entre les belligérants. Alors qu'à la fin de l'année 1536 l'armée française a conquis la Savoie et le Piémont, au printemps suivant, Charles Quint, à son tour, franchit les Alpes et se répand à travers le sud de la France. Du coup, malgré l'hostilité que lui témoigne Anne d'Étampes, François rappelle Montmorency ; celui-ci, afin de réduire l'envahisseur, use d'une méthode aussi radicale qu'inhumaine pour les populations, mais le futur connétable n'a jamais été embarrassé par des excès de sensibilité. Il rase villes et villages, brûle les cultures, empoisonne les puits. Comme l'écrit Philippe Erlanger : « Vrai précurseur, il invente la tactique de la terre brûlée. »

Tactique qui va se révéler payante. Charles Quint tombe dans le piège : tout heureux à la pensée d'être dans quelques semaines à Paris, il néglige de défendre le Piémont contre les troupes françaises et pénètre en France par la Provence. Mais il ne trouve devant lui que terres désolées, maisons en ruine, magasins vides, rivières polluées... Il n'en poursuit pas moins son chemin, persuadé que la victoire est au bout, alors qu'il s'avance vers la défaite.

Cependant, dans le camp français, il se produit un événement funeste, aux lourdes conséquences pour l'avenir du pays. Tandis que ses troupes pénétraient en Italie, François Iᵉʳ s'est arrêté à Valence. Ses deux fils, eux, demeurent quelque temps à Lyon, puis le dauphin se met en route afin de rejoindre son père. Inspiré par son exemple, il est impatient de se mêler à la bataille et de rejoindre le camp retranché que Montmorency a établi autour d'Avignon, d'où il surveille les mouvements de l'ennemi. Mais ce que ne pourront faire au prince ni les épées ni les arquebuses de l'adversaire, un simple verre d'eau s'en charge. Près de Tournon, le 10 août 1536, l'héritier du trône, qui vient de disputer une partie de paume, réclame un verre d'eau à Montecucculi, son écuyer. À peine y a-t-il goûté qu'il est pris de douleurs atroces. Au bout de quatre jours d'agonie, le malheureux prince rend le dernier soupir.

À Valence, quand il apprend la nouvelle de la bouche du cardinal Jean de Lorraine, François Ier manque défaillir. « Poussant un haut soupir », nous dit un témoin, on l'entend murmurer :

— Mon Dieu, mon Dieu, je n'ignore pas qu'il ne soit raisonnable que je prenne en patience et en gré tout ce qui procède de toi...

S'efforçant de dominer sa peine, il fait appeler son autre fils, qui vient d'arriver à Valence. Henri d'Orléans est désormais l'héritier de la couronne de France et c'est en tant que tel que le roi s'adresse à lui :

— Vous allez apprendre un métier. Il est requis et nécessaire que vous le sachiez pour en user. Allez rejoindre messire Anne de Montmorency ; vous lui direz que vous vous rendez auprès de lui non pour commander, mais pour apprendre à commander, pour apprendre votre métier de lui et de plusieurs bons capitaines qui l'entourent. Vous les prierez qu'ils vous donnent le moyen de faire tel apprentissage que ce soit à votre honneur et au service de Dieu, premièrement, puis de la chose publique de ce royaume. Soyez doux et prenez la peine d'acquérir leurs grâces, ainsi qu'avait très bien commencé votre frère.

Henri d'Orléans n'a que dix-sept ans et ne s'attendait pas à l'écrasante responsabilité qui lui échoit aussi soudainement. Est-il en mesure de l'assumer ? Rien n'est moins sûr, si l'on s'en rapporte au portrait peu flatteur que Philippe Erlanger brosse de lui :

« Le nouvel héritier de la couronne montrait une vigueur exceptionnelle et une adresse à tous les exercices physiques, particulièrement à ceux des armes, si ces qualités formaient l'apanage naturel des Grands, elles avaient cessé de paraître suffisantes. Or, le développement musculaire d'Henri semblait avoir restreint l'agilité de son cerveau. Ni la promptitude dans l'intelligence, ni dans la repartie, nulle aisance à discourir, une propension médiocre à se cultiver, point de curiosité intellectuelle. La lenteur du raisonnement jointe à une faiblesse foncière rendait le jeune homme hésitant lorsqu'il devait prendre un parti. Mais son opinion formée, et elle l'était rarement sans le secours d'autrui, Henri s'y tenait avec une constance dont il est peu d'exemples. »

La disparition du dauphin a comblé d'aise Charles Quint : il y voit une intervention divine et l'assurance de son prochain triomphe. Après s'être coiffé des couronnes de pacotille de roi d'Arles et de comte de Provence, ce qui satisfait sa vanité à défaut d'autre chose, l'empereur décide de forcer les passages du Rhône et d'envahir le Languedoc, avant de remonter vers le nord et Paris. Ce faisant, il n'a pas pris conscience de l'état de ses troupes. Celles-ci, du fait des privations de toutes sortes, meurent bientôt de faim. Seules ressources laissées par Montmorency, les cultures de raisin... Là aussi, il s'agit d'un piège : les Impériaux en font une consommation trop abondante, la dysenterie se déclare dans leurs rangs et les décime par centaines, bientôt par milliers... Charles Quint n'en décide pas moins d'assiéger Marseille ; l'entreprise tourne court. Au mois de septembre – c'est-à-dire à l'époque même où il avait prévu d'entrer en vainqueur dans Paris –, ses troupes entament une retraite lamentable que Georges

Bordonove, dans son excellente biographie de François Iᵉʳ, décrit d'une manière saisissante :

« Les Impériaux se traînèrent jusqu'à Fréjus, jalonnant la route de monceaux de cadavres d'hommes et de chevaux, de canons, de chariots, d'armes de toute sorte. Cette retraite était pire qu'une bataille perdue ; c'était un irréparable désastre. Par surcroît, dans le nord, les Impériaux avaient essuyé un échec aussi cuisant sous les murs de Péronne. Charles Quint avait consommé pour rien la plus belle armée qu'il fût parvenu à réunir. Le roi François n'avait pas perdu un homme. Il était vengé de l'humiliation de Pavie et de la prison de Madrid. C'était au tour de Charles Quint de pleurer son honneur perdu.»

Si l'on ajoute que durant leur retraite les soldats de l'empereur sont sans cesse harcelés par les populations locales, désireuses de se venger des sévices qui leur ont été infligés, on imagine que l'expédition de Charles Quint n'a rien eu d'une partie de plaisir. Au total, l'empereur a perdu vingt mille hommes et gagné... le surnom d'« Arlequin » que, par dérision, les Provençaux lui ont décerné. Martin du Bellay devait évoquer lui aussi cette déroute en termes imagés :

« Bientôt, les chemins étaient jonchés de morts, de malades, de harnais, lances, piques, arquebusiers, et autres armes, et de chevaux abandonnés, qui ne pouvaient se soutenir. Là eussiez-vous hommes et chevaux, tous amassés en un tas, les uns parmi les autres, et tant de côté que de travers, les mourants pêle-mêle parmi les morts !»

Description apocalyptique qui nous dit bien ce que vaut la vie humaine en une époque éclairée, par ailleurs, par les lumières de la Renaissance...

Cette revanche sur son pire ennemi ne console pourtant pas François Iᵉʳ de la perte de son fils. Avant de regagner Lyon et de se séparer momentanément du nouveau dauphin, le roi lui adresse de vibrantes recommandations :

— Mon fils, vous avez perdu votre frère, et moi mon fils aîné. En sa mort, je trouve que ce qui m'accroît le regret me réconforte : c'est la mémoire que j'ai de l'amour qu'il avait déjà acquise envers les grands et les petits. Mettez peine de l'imiter, en sorte que vous le surpassiez, et de vous faire tel et si vertueux que ceux qui, aujourd'hui, languissent du regret qu'ils ont de lui recouvrent en vous de quoi apaiser ce regret.

Ayant ainsi parlé, le roi se rend donc à Lyon, où Montecucculli doit être jugé ; l'écuyer du prince François est en effet accusé d'avoir empoisonné son maître, ce qu'il avoue sans difficulté. Sous la torture, qui à l'époque constituait le moyen le plus sûr de rafraîchir la mémoire des prisonniers récalcitrants, Montecucculli reconnaît donc qu'il avait mêlé de la poudre d'arsenic au verre d'eau qu'il a tendu au dauphin. Pendant qu'il y est, il reconnaît également que, sur ordre de Charles Quint, il avait aussi le projet d'empoisonner François Ier ! Voilà un homme qui ne fait pas le détail !

Condamné à mort, il est écartelé sous les yeux de la duchesse Marguerite. Celle-ci raconte que, Montecucculli à peine achevé, « le peuple s'acharne sur ses membres. On met la tête presque par petites pièces. Même les petits enfants n'y laissèrent un poil de barbe, lui coupèrent le nez, lui tirèrent les yeux hors de la tête et, à grands coups de pierre, lui rompèrent les dents et mâchoires, de sorte qu'il fut si défiguré qu'à peine on l'eût su reconnaître »... De quoi frémir d'horreur...

Henri se voit donc investi d'un honneur qu'il n'avait pas prévu, mais qui le remplit d'aise. Il n'appréciait guère le rôle qui lui était attribué jusque-là et qui laissait à son frère aîné tous les privilèges. À la cour, s'il y en a qui font grise mine, il en est d'autres qui poussent un soupir de soulagement, à commencer par Anne de Montmorency, qui voit son crédit renforcé et sa position assurée. Marque de sa faveur retrouvée, malgré l'antagonisme d'Anne d'Étampes, François Ier va bientôt lui remettre l'épée de connétable.

La rentrée en grâce de Montmorency est aussi justifiée par la brillante campagne qu'il vient de mener contre les Impériaux, mais, surtout, il est l'ami du nouveau dauphin et tout autant celui de Diane de Poitiers. L'influence que celle-ci exerce déjà sur l'héritier du trône est une garantie pour l'avenir du connétable. Diane, elle, est évidemment ravie de l'honneur qui échoit à son « galant ». Ainsi ses calculs se sont-ils révélés justes, ses désirs sont-ils comblés au-delà de ses espérances. Il est vraisemblable que la « promotion » dont son amoureux est l'objet a hâté le sacrifice d'une vertu qu'elle hésitait à faire à un cadet de France, mais qu'elle ne peut refuser plus longtemps à l'héritier de la couronne ; ce sont des choses qui ne se font pas !

Alors tant pis pour le qu'en-dira-t-on ! Diane se doute bien que, en prenant à trente-sept ans un amant qui en a dix-sept, elle va soulever un tollé général. La cour, elle le sait, est pavée de mauvaises intentions ; commérages et persiflages sont les deux mamelles auxquelles s'abreuve l'armée d'hypocrites qui gravite autour du trône. Tout bien pesé, le risque vaut d'être couru, étant donné les perspectives sur lesquelles il débouche. Sans compter que les dix-sept printemps vigoureux d'Henri la changeront agréablement des soixante-quinze hivers fatigués de feu M. de Brézé ! Diane est une femme, même si elle s'efforce d'offrir d'elle l'image d'une statue ; sous le marbre des apparences, la chair palpite et réclame.

Cependant, pour que sa résistance, qui vacille de plus en plus depuis quelque temps, bascule, encore faut-il lui donner un coup de pouce ; Montmorency va y aider complaisamment. De la sorte, il s'acquitte d'une dette de reconnaissance, tant à l'égard de Diane, qui a pris sa défense aux pires moments, que d'Henri, qui lui a rendu toutes ses prérogatives.

Pour faciliter l'accomplissement du « sacrifice », le connétable va fournir le lieu où se consommera l'adultère princier. Dans son château d'Écouen, il invite les deux héros de la fête intime qui se prépare. La demeure est luxueuse et incite aux plaisirs les plus audacieux ; il y a notamment des vitraux érotiques « choquant d'impudeur à faire rougir Rabelais », si l'on en croit la rumeur, qui racontent les amours de Psyché dans les moindres détails. Dans un tel décor, comment ne serait-il pas ému, l'adolescent qui s'apprête à cueillir le fruit tentateur qu'il guigne depuis des années ? Comme son cœur doit battre, au seuil d'une victoire plus précieuse que toutes celles qu'il pourrait remporter sur les champs de bataille ! Et Diane ? En dépit de sa maîtrise, ne tremble-t-elle pas elle aussi car, si l'on s'en tient à la version officielle de son existence, elle manque tout autant d'expérience que son soupirant, du moins sur le chapitre... des exercices physiques.

Quelle que soit la profondeur de leur émoi, les deux acteurs de la fête vont se montrer à la hauteur de leurs espérances, si l'on en juge par cet aveu que Diane ne peut retenir, au lendemain de sa « défaite » :

> *Voici vraiment qu'Amour un beau matin*
> *S'en vint m'offrir fleurette très gentille...*
> *Car voyez-vous, fleurette si gentille*
> *Était garçon, frais, dispos et jeunet.*
> *Ainsi, tremblant et détournant les yeux,*
> *« Nenni », disais-je. « Ah, ne soyez déçu »,*
> *Reprit l'Amour et soudain, à ma vue*
> *Va, présentant un laurier merveilleux,*
> *« Mieux vaut, lui dis-je, être sage que reine ».*
> *Ainsi me sentis et frémir et trembler,*
> *Diane faillit et comprenez sans peine*
> *Duquel matin, je prétends reparler...*

À la suite de cette première expérience avec Diane, Henri est émerveillé, il n'arrive pas à croire à son bonheur. Ainsi, cette « déesse » tant espérée, tant désirée, il l'a tenue dans ses bras, elle lui a fait l'offrande de son corps de statue. Et la statue s'est animée, a vibré sous ses caresses, a répondu à ses serments par d'autres serments... Ce matin-là, en sortant des bras de Diane, l'adolescent est devenu un homme. En se liant à lui par le pacte de leurs deux corps, ce ne sont pas seulement les désirs d'Henri que Diane a comblés, elle lui a donné aussi une assurance, une confiance qu'il n'avait jamais eues auparavant.

Conscient de toutes les félicités qu'il doit à sa dame, c'est en vers – lui aussi – qu'Henri proclame son bonheur :

Hélas, mon Dieu, combien je regrette
Le temps que j'ai perdu en ma jeunesse.
Combien de fois je me suis souhaité
Avoir Diane pour ma seule maîtresse ;
Mais je craignais qu'elle qui y est déesse
Ne voulut s'abaisser jusque-là
De faire cas de moi...

Oui, le poisson est bien ferré et Diane va recueillir les fruits de sa « pêche miraculeuse ». Désormais, jusqu'à son dernier jour, le futur roi est attaché à elle.

S'il était utile de s'attarder quelque peu sur les prémices d'une longue liaison qui sort de l'ordinaire, étant donné l'âge respectif des partenaires, c'est, répétons-le, qu'elle n'est pas sans incidence sur la propre liaison de François Ier. Le triomphe de Diane de Poitiers n'a pas fait que des heureux. La duchesse d'Étampes, la favorite en titre, ne peut accepter de partager son pouvoir, et encore moins les privilèges qui y sont attachés. Entre les deux rivales, la rupture est maintenant consommée, et le moins qu'on puisse dire, c'est que ces dames n'y vont pas de main morte dans leurs propos. Non seulement Anne se répand en persiflages sur la « vieille », comme elle l'appelle aimablement, mais elle a aussi recruté un certain Voulté, poète obscur auquel une inspiration venimeuse tient lieu de talent, qui, pour décrire la maîtresse du dauphin, évoque « sa face peinte, ses rides, ses fausses dents et son teint gâté »...

Ces calomnies, orchestrées par Mme d'Étampes, auront la vie dure puisque, au siècle suivant, un historien de quelque renom à l'époque, Mézeray, écrira :

« C'était grande pitié de voir un jeune prince adorer un visage décoloré, plein de rides, une tête qui grisonnait, des yeux à demi éteints et quelquefois rougis, bref à ce que l'on tient pour les restes infâmes de plusieurs autres. »

Portrait, hâtons-nous de le dire, qui ne correspond en rien à la réalité. Tous les contemporains de la comtesse de Brézé, Brantôme en tête, s'accordent pour célébrer sa beauté en même temps que la persistance miraculeuse de cette beauté. Même si, comme l'insinue Mézeray avec perfidie, Henri doit se contenter de « restes », Diane sait fort bien les accommoder pour le plus grand bonheur de son amant, plus que jamais livré à sa passion, ainsi qu'il le lui clame :

> *À nouveau prince, ô ma seule princesse !*
> *Que mon amour qui nous sera sans cesse*
> *Contre le temps et la mort assuré,*
> *De fosse creuse ou de tour bien murée*
> *N'a pas besoin de ma foi la forteresse*
> *Dont je vous fis dame, reine et maîtresse*
> *Parce qu'elle est d'éternelle durée.*

La passion de l'héritier du trône, qui est devenue à la cour un secret de Polichinelle, exacerbe la mauvaise humeur d'Anne d'Étampes et la pousse à multiplier ses attaques contre la Dame d'Anet[1]. Sur le moment, Diane demeure dans une prudente expectative et ne réplique pas aux calomnies dont elle est l'objet. En attendant de pouvoir prendre sa revanche, elle sait maîtriser sa colère et guetter l'occasion que les événements lui fourniront pour frapper sa rivale au défaut de la cuirasse. Anticipons de quelques années pour signaler au lecteur que cette occasion lui sera fournie au mois d'août 1544, lors d'une nouvelle flambée d'hostilités entre François Ier et Charles Quint. Ce dernier ayant découvert le code secret de l'armée française, selon les rumeurs, « certains crurent que l'interprétation du chiffre aurait été envoyée à l'empereur d'Allemagne par les soins d'Anne de Pisseleu ».

Toujours selon les mêmes rumeurs, la jeune femme, pour les beaux yeux d'un de ses amants, le comte de Longueville, vendu à Charles Quint, aurait fourni une série de renseignements d'un intérêt capital. À ce propos, Bayle, un historien de l'époque, aurait écrit :
« La duchesse forma une liaison si étroite avec l'empereur qu'il ne se passa plus rien de secret à la Cour ni dans le Conseil de France qu'il ne fût ponctuellement averti. Une femme fut la cause de ce désordre. Une femme eût alors renversé la monarchie si la tête n'eût tourné à Charles Quint. François Ier en fut quitte à bon marché. »

Ainsi, à toutes ses « qualités » Anne d'Étampes aurait joint celle de traître à son pays et à l'homme auquel elle devait sa fortune ? Rien ne permet de l'affirmer avec certitude, même si Diane ne se fait faute d'exploiter ces rumeurs. Entre les deux femmes, tous les coups sont permis. Évoquant leur conflit permanent, Montesquieu assurera : « Elles s'enviaient jusqu'à leurs vices ! » Jugement sévère mais pertinent, qui situe le

----

1. On nommait ainsi Diane de Poitiers en raison du château qu'elle possédait à Anet.

climat régnant à la cour de France, déchirée entre deux clans qui prennent tour à tour l'avantage.

Se projetant vers l'avenir, Diane favorise la famille des Guise et entraîne Henri dans son sillage. Initiative malheureuse puisque les Guise, plus tard, conspireront contre les fils d'Henri II et seront à deux doigts de subtiliser la couronne royale à leur profit. Diane et son parti se montrent par ailleurs les adversaires résolus des réformés, pour lesquels ils réclament des bûchers.

Anne, elle, soutient évidemment le parti contraire et plaide auprès de François Ier la tolérance pour les protestants. Afin de s'assurer elle aussi des garanties sur l'avenir – le roi n'est pas éternel – comme pour susciter un rival au dauphin, elle s'efforce d'attirer dans son camp le dernier des fils de François Ier, le duc Charles d'Orléans. C'est un jeune homme brillant, dont le caractère joyeux et franc tranche avec celui de son frère aîné. Malheureusement pour elle, Mme d'Étampes ne profitera pas longtemps de cet allié de choix : le prince mourra prématurément.

Cette disparition, si elle affecte profondément le roi, sera loin de chagriner Diane de Poitiers, qui voyait dans ce brillant cadet une menace pour sa position. Alors, une fois de plus, on évoquera le poison, dont on fait à cette époque un large usage. De là à soupçonner Diane, il n'y a qu'un pas, qu'Anne d'Étampes franchira sans hésitation, pas fâchée de rendre la monnaie de sa pièce à une rivale qui l'avait accusée de trahison. Il est peu vraisemblable que la comtesse se soit sali les mains avec un tel forfait, mais, parmi ses partisans ou ses serviteurs, il n'est pas impossible qu'il y ait eu quelqu'un qui ait cru bon de faire du zèle. Nous aurons un peu plus tard l'occasion de revenir sur ce pénible événement.

Ce qu'on sait des mœurs du temps, les morts mystérieuses et si opportunes qui vont jalonner la seconde partie du XVIe siècle justifient toutes les suppositions.

Avec la disparition de François Ier, l'ère de la chevalerie prendra fin pour céder la place à un réalisme qui ne s'embarrassera ni de scrupules ni de sentiments. Les règnes des trois petits-fils du Roi-Chevalier se dérouleront dans un décor tragique et selon une mise en scène diabolique, due pour une bonne part à celle à laquelle personne ne prête alors la moindre attention, Catherine de Médicis.

Mais, pour le moment, la vraie reine de France s'appelle Anne d'Étampes, même si c'est une reine de la main gauche.

9

La mort d'une belle

Après avoir anticipé sur la chronologie des événements, afin d'évoquer le climat qui s'instaure à la cour de France avec la montée en puissance de Diane de Poitiers, revenons à cette année 1537 qui marque une nouvelle flambée guerrière entre les deux ennemis irréductibles, François et Charles.

Cette fois, le roi de France demeure loin des champs de bataille à cause d'une santé défaillante. Ce colosse cache sous sa stature impressionnante une extrême sensibilité ; la disparition brutale du dauphin François lui a causé un choc dont il ne s'est toujours pas remis. Un autre chagrin lui est hélas réservé. Tandis qu'il demeure à Fontainebleau, entouré de ses médecins, lui parvient la nouvelle de la disparition de sa fille Madeleine. Mariée au roi Jacques V d'Écosse, la princesse est emportée par une fièvre maligne, elle avait tout juste dix-huit ans.

Cependant, la guerre se poursuit, semant la lassitude chez ceux qui la mènent et n'en voient pas la fin. La première à se décourager est la régente des Pays-Bas, Marie de Hongrie. Elle conclut avec Marguerite, la sœur de François Ier, une trêve qui met un terme provisoire aux hostilités dans le nord de la France.

Au sud, Montmorency, assisté du dauphin, Henri, reprend le Piémont, perdu lors d'une campagne précédente. Découragé par la tournure des événements, Charles Quint se résigne lui aussi à signer une trêve. Tandis que les négociations commencent entre les plénipotentiaires des deux souverains, François s'est installé à Montpellier, où il attend la conclusion du traité. C'est là qu'il reçoit une information funeste qui va le plonger dans le désarroi.

Le 16 octobre, avec une soudaineté que rien ne laissait prévoir, le destin met un terme brutal à l'existence de Françoise de Châteaubriant. Ici encore, les raisons d'une fin aussi rapide demeurent mystérieuses. La jolie comtesse n'avait que quarante-deux ans et jouissait d'une excellente santé : qu'a-t-il pu se passer ? Le silence observé autour de sa disparition entretient les pires suppositions. Des rumeurs sinistres se mettent à circuler : Jean de Châteaubriant, le mari dont la complaisance envers les frasques de sa femme semblait sans limite, aurait brusquement tombé le masque. Après avoir séquestré la malheureuse dans un cachot, il serait entré une nuit dans sa chambre suivi de quatre spadassins et l'aurait fait égorger. La légende, qui ne manque pas d'imagination, raconte que depuis lors, au château de Châteaubriant, chaque 16 octobre à minuit, François Iᵉʳ apparaît en compagnie de Françoise, tandis que le mari assassin est entraîné par des diables qui l'obligent à tremper ses pieds dans le sang de la victime. Les touristes en voulant toujours plus pour leur argent, les guides qui leur faisaient visiter la demeure il y a une vingtaine d'années leur montraient des traces de sang encore visibles après quatre siècles, le sang de l'infortunée comtesse...

Quelles qu'aient été les raisons de sa mort, Françoise, en composant son épitaphe, nous a légué un ultime reflet de sa noblesse de cœur :

Si passez par ici, après le mien trépas,
Je te prie arrêter, sans marcher outre un pas
Jusqu'à ce qu'aies vu par portraiture
Cette mienne épitaphe et dolente écriture.

Épitaphe

Une femme gisant en cette fosse obscure
Mourut par trop aimer d'amour grande et naïve
Et combien que le corps soit mort pour peine dure,
Joyeux est l'esprit de sa foi qui est vive.

François n'avait pas oublié son premier amour ; quelque temps plus tard, lorsqu'il alla prier sur sa tombe, il lui adressa un dernier poème qui reflétait les élans de son cœur :

L'âme est en haut ; du beau corps c'en est fait
Ici dessous !
Ha, triste pierre, auras-tu cette audace
De m'empêcher cette tout belle face,
En me rendant malheureux et défait,
Car tant digne œuvre en rien n'avait méfait
Qu'on l'enfermât avec sa bonne grâce
Ici dessous.

Sans doute François la pleure-t-il un moment ; mais, chez lui, les chagrins sont par essence éphémères, il y a les affaires de l'État et aussi sa soif de plaisirs, qui l'entraîne sans cesse vers quelque nouvelle aventure, même si Anne d'Étampes est toujours aussi solide au poste. Il faut bien constater que, sur le chapitre de la fidélité, la maîtresse n'est pas tellement mieux traitée que l'épouse légitime. Elle doit se résigner à voir son amant courir derrière chaque belle passant à portée de ses désirs. À présent qu'elle est duchesse, qu'elle se sent solidement établie dans ses prérogatives, elle ne se soucie pas trop des frasques du roi. Et elle se console facilement, non seulement en arrachant de nouvelles faveurs à son amant mais aussi en en prenant à son aise avec les hommes qui lui plaisent. D'après Diane de Poitiers – mais faut-il ajouter foi aux propos de celle-ci ? –, ils seront une bonne douzaine à partager avec le roi de France les « bontés » de Mme d'Étampes. François n'ignore rien des agissements de sa maîtresse ; comment pourrait-il en être autrement dans cette cour où chaque regard est curieux et chaque oreille indiscrète ? Indifférence ou suprême élégance, il ferme résolument les yeux sur les écarts de la dame. Une anecdote plutôt cocasse illustre son comportement.

Un jour que François est à la chasse, Anne en profite pour recevoir dans sa chambre un très jeune gentilhomme, Christian de Nançay. Par mesure de précaution, afin de prévenir un retour intempestif du roi, la duchesse a chargé une de ses suivantes, Renée de Colliers, de monter la garde auprès d'un œil-de-bœuf situé dans le corridor menant à ses appartements. Hélas, tandis que sa maîtresse, l'esprit tranquille et le corps agité, se livre à ses ébats, Mlle de Colliers s'endort ! Somnolence fatale ! Soudain, les jappements d'une meute la réveillent : c'est le souverain qui est de retour plus tôt que prévu ! La « sentinelle » n'a pas le temps d'avertir la duchesse ; entrant dans la chambre de la belle, François la trouve couchée auprès du jeune Nançay. Est-ce le drame ? Pas du tout ! Avec cet air majestueux qu'il arbore en toute circonstance, le roi, comme s'il n'avait pas reconnu la coupable, ordonne :

— Que cette femme se lève ! Et vous, monsieur de Nançay, qui osez entretenir ici des intrigues avec une *suivante* de Mme d'Étampes, allez réfléchir en prison sur l'inconvenance d'une telle conduite !

Et il se retire, comme si de rien n'était...

Ce genre d'incident ne diminue pas le crédit d'Anne d'Étampes. Le seul danger pour elle, on l'a vu, réside dans la présence de plus en plus envahissante de Diane de Poitiers. Certes, pour le moment, Anne occupe la position dominante, puisque son atout, c'est... le roi de cœur. Mais François Ier ne sera pas éternel, d'autant que sa santé, ébranlée par une incessante activité, minée par des abcès à répétition, donne des signes de troubles inquiétants. L'avenir travaille donc pour Diane, sa fortune étant attachée à celle du dauphin. Ce danger potentiel n'échappe pas à Anne. La situation est paradoxale : Diane est son aînée de neuf ans, tandis que l'homme sur lequel elle exerce sa domination a lui-même vingt-trois ans de moins que l'amant royal de la duchesse. Ce côté vaudevillesque exaspère Anne et explique qu'elle ait donné à Diane ce surnom peu flatteur de « vieille ».

Par la force des choses, chacune des deux femmes est devenue le chef d'un parti, et la bataille qu'elles se livrent a pour conséquence de se poursuivre au détriment de l'intérêt national. Comme le constate alors Montluc, un familier de la cour : « Le malheur est qu'en France les femmes se mêlent de trop de choses ; le roi devrait clore la bouche aux femmes qui se mêlent de parler. De là viennent tous les rapports, toutes les calomnies. »

Ce qui aggrave encore l'antagonisme entre les deux favorites, ce sont les divergences de vues qui opposent maintenant le dauphin à son père. Avec les années, le fossé continuera de se creuser, Anne et Diane jetant consciencieusement de l'huile sur le feu.

Dans cette lutte d'influence, un personnage est oublié : Catherine de Médicis, l'épouse du dauphin. Elle est quand même la future reine de France, mais personne à la cour ne paraît s'en soucier. Seul son beau-père, le roi, lui témoigne de l'affection. Toujours sensible au charme des femmes, François s'efforce de pallier le quasi-abandon où la laisse son époux ; en outre, il apprécie qu'elle soit bonne cavalière – elle sera la première à monter « en amazone » – et qu'elle aime la chasse, tout comme lui, si bien que les rares occasions où Catherine a l'impression d'exister lui sont fournies par le roi. Consciente de son peu d'importance et de la passion qu'Henri nourrit pour Diane de Poitiers, Catherine de Médicis s'efforce de passer inaperçue et y parvient fort bien. Personne ne pourrait alors soupçonner la volonté indomptable, l'ambition forcenée et l'absence de scrupules qui se dissimulent derrière cette apparence d'humilité. Pour ceux qui auront méprisé la dauphine, le réveil n'en sera que plus douloureux.

En attendant, pour complaire à François Ier, Catherine fait bonne figure à la favorite et semble la soutenir dans son conflit avec Diane. On verra même un jour Catherine et Anne pleurer dans les bras l'une de l'autre, en vouant aux gémonies celle qui exerce un tel empire sur l'héritier de la couronne. Mais la rusée Catherine ne tarde pas à flairer le vent : en prévision de l'avenir, elle n'hésite pas à trahir la duchesse, tout en continuant de lui faire bonne figure. À mesure que le conflit entre Anne d'Étampes et Diane de Poitiers s'étendra, le dauphin finira par interdire à son épouse d'adresser la parole à la maîtresse de son père.

La rivalité des deux femmes et de leurs clans respectifs a d'autant plus l'occasion de se manifester que les aléas de la politique leur fournissent un terrain de manœuvre permanent, chaque parti cherchant à placer ses fidèles aux plus hauts postes de l'État. D'où une instabilité permanente, fort préjudiciable aux affaires du pays. Personne n'est plus sûr de rien ; telle situation que l'on croyait solidement établie, tel personnage que l'on croyait inamovible se trouvent du jour au lendemain jetés aux oubliettes. Après le tour de Chabot, soutenu par Anne d'Étampes, vient à présent celui de Montmorency, fidèle de Diane de Poitiers, en attendant que, demain, Chabot retrouve la faveur royale, par la grâce... de la maîtresse du roi. Ce petit jeu se poursuivra jusqu'aux derniers jours du règne. Cependant, les événements semblent se prêter à des retournements inattendus. On dirait que le destin se plaît à mettre en scène les coups de théâtre les plus imprévisibles. Voici que les deux ennemis mortels, le vainqueur et le vaincu de Pavie, vont se rencontrer.

Puisqu'une trêve a été conclue entre Charles Quint et François Ier, le pape Paul III, qui vient de succéder à Clément VII, a l'idée de donner à cet arrêt provisoire des hostilités un caractère quasi définitif en proposant aux adversaires d'hier un accord de dix ans.

L'entrevue entre les souverains se déroule le 14 juillet 1538, à bord du vaisseau impérial, dans le port d'Aigues-Mortes. Avec une mauvaise foi touchante, les deux hommes vont se jouer la comédie de l'amour fou.

— Ce fut un grand malheur pour nous et nos sujets que, plus tôt, nous ne nous soyons connus, car la guerre n'eût pas tant duré, déclare Charles Quint, les larmes aux yeux.

François Ier n'est pas en reste d'amabilités :

— Nous devons bien rendre grâce à Dieu de ce qu'il lui a plu nous joindre ensemble par amitié en ce lieu, réplique-t-il.

Et, joignant le geste à la parole, François offre à son « bon frère », comme il l'appelle, un gros diamant où sont gravés ces mots, qui valent leur pesant d'ironie si l'on songe aux luttes sans merci qui les opposent depuis près de vingt ans : « Notre affection doit être un exemple. »

Une politesse en valant une autre, Charles passe au cou de François son propre collier de la Toison d'or... Bref, le climat est à l'idylle. Reste à savoir si les deux hommes sont sincères lorsqu'ils formulent leurs protestations de bonne entente. Cela est moins sûr, si l'on en croit un témoin, l'ambassadeur de Venise Franco Giustiniano, qui écrit :

« Ce que j'ai vu du roi de France, dans mon court séjour, et ce que j'ai entendu de l'empereur à la Cour, me prouve assez qu'entre ces deux princes, il n'y aura jamais d'union. Ils sont, en somme, d'un caractère si différent que le roi lui-même dit un jour à l'ambassadeur Capelle et à moi, justement à propos des trêves qu'on allait conclure : "L'empereur tâche de faire tout au rebours de ce que je fais ; si je propose la paix, il dit que la paix n'est pas possible, mais qu'il vaut mieux un accord ; si je parle d'accord, il propose une trêve. Nous ne sommes jamais du même sentiment en rien." »

Non, malgré les apparences, les deux rivaux n'ont mis leurs épées au fourreau que pour mieux les en tirer le moment venu. Il n'empêche que François et son entourage font semblant de croire à la paix. Si bien que la petite guerre entre Anne et Diane peut reprendre, Mme d'Étampes n'ayant toujours pas « digéré » le retour en faveur du duc de Montmorency. Mais voici qui va, pour un moment, lui apporter d'autres soucis.

Au mois d'août 1539, le roi, qui continue à circuler sans cesse d'un château à l'autre, pour le plus grand mécompte de son entourage et des ambassadeurs étrangers obligés de le suivre, séjourne à Villers-Cotterêts. La forêt qui entoure sa demeure est l'une des plus riches de France en gibier de toute sorte. François, on s'en doute, passe ses journées à chasser, ce qui ne l'empêche pas, le soir venu, de travailler à l'une des lois les plus importantes de son règne : l'Ordonnance générale sur le fait de la justice, police et finances, qui est en fait la création de l'état civil dans notre pays.

Est-ce le surcroît de labeur, joint à cette débauche d'exercices physiques ? Le roi tombe soudain malade, si gravement que, pendant quelques jours, on craint pour son existence. Anne d'Étampes est aux cent coups et supplie les médecins de veiller sur le roi jour et nuit. Elle-même, en dépit de la présence à Villers-Cotterêts de l'épouse légitime, n'épargne pas sa peine et partage son temps entre la chambre du malade et la chapelle, où elle vient prier plusieurs fois par jour pour le rétablissement de son amant. Plus encore que ses sentiments, le souci de ses intérêts provoque ses alarmes. Si le roi vient à disparaître, l'édifice de son pouvoir s'effondre comme un château de cartes, elle en est bien consciente. D'ailleurs, certains signes l'en avertissent : à mesure que l'état du roi s'aggrave, les rangs de ses partisans s'éclaircissent, tandis que grossissent ceux des amis de Diane de Poitiers. Le même phénomène se reproduira à chaque fois que le souverain tombera malade.

Heureusement, cette fois, il ne s'agit que d'une fausse alerte ; François se rétablit aussi vite qu'il a dépéri, et, à peine debout, repris par sa manie ambulatoire, le voici à Compiègne, d'où il écrit à son ambassadeur à Londres :

« Je vous avise que j'ai été bien fort tourmenté d'un *rume* qui m'est tombé sur les génitoires et vous assure que la maladie m'en a été tant ennuyeuse et douloureuse qu'il n'est pas croyable... »

En réalité, le mal dont a souffert le roi finira un jour par l'emporter : il s'agit d'un abcès au périnée qui revient périodiquement. Mais il s'efforce déjà d'oublier cette mésaventure car une nouvelle inattendue vient de lui parvenir : Charles Quint accepte son invitation à venir en France.

Voyage diplomatique certes, mais qui est aussi imposé à l'empereur par la nécessité. Ses sujets de la Flandre espagnole se sont rebellés et ne semblent pas décidés à se calmer. Pour les mater, il faut que Charles lui-même se rende sur place. Or, il se trouve en Espagne et un long voyage en mer présente des risques, les corsaires anglais ne se faisant pas faute d'attaquer les navires qui passent à leur portée, sans se soucier de la nationalité de leurs proies. Charles Quint a donc accepté la proposition du roi de passer par la France pour rejoindre ses possessions des Pays-Bas espagnols. Les deux monarques vont prendre le chemin des écoliers ; entré en France par Saint-Jean-de-Luz, Charles Quint a droit à la visite des fleurons du royaume, Amboise, Chambord, Fontainebleau, ces merveilles architecturales conçues et voulues par le Roi-Chevalier et dont il est légitimement fier. Durant ce périple, il a d'ailleurs cherché à éblouir son hôte et il y est parvenu. Mais toute médaille a son revers : en même temps que son admiration, c'est aussi la jalousie de Charles Quint que cette démarche a provoquée. Comme pour faire pendant au spectacle de cette magnificence, invité à apposer sa signature sur le registre d'une abbaye qu'il visitait, Charles Quint en profite pour étaler complaisamment la liste de ses nombreux titres puis, très content de lui, il tend la plume à François Ier, observant avec satisfaction la tête qu'il va faire. C'est alors que le roi de France fournit une nouvelle preuve de son esprit. Sous sa signature, il écrit simplement : « Roi de France et de Vaugirard ! »

Dans toutes les villes que traverse le cortège, tandis qu'il défile sous des arcs de triomphe décorés aux armes des deux souverains, la foule se presse, ne ménageant pas ses acclamations, voyant en ces hommes qui chevauchent côte à côte, hier adversaires, aujourd'hui amis, le symbole d'un avenir de paix et de prospérité. Naturellement, la reine Éléonore est du voyage ; sans aucun doute, elle apprécie tout particulièrement de voir son mari et son frère enfin réconciliés.

La fête ne s'arrête pas avec la tombée du jour, bien au contraire. Dans chacune des demeures visitées lorsque arrive la nuit, ce ne sont que festins suivis de bals. C'est alors qu'apparaissent les dames, pour le plus grand plaisir du roi. La vue des jolies femmes qui se pressent autour de lui rend son humeur encore plus joyeuse qu'à l'ordinaire, et il est le premier à donner le signal de la danse, ses préférences allant aux branles et aux passe-pieds. Au premier rang du parterre féminin, si la silhouette un peu lourde d'Éléonore lui interdit d'évoluer avec grâce, si Marguerite, la sœur du roi, ne se fait pas non plus remarquer par son physique, en revanche, Diane de Poitiers et Anne d'Étampes rivalisent de beauté, la favorite royale ayant évidemment droit aux hommages les plus marqués. C'est ainsi que Clément Marot vient déclamer devant elle un poème où il célèbre :

> *Lagie la belle*
> *Aux très clers yeux, à la ronde mamelle...*

Les maîtresses officielles ne sont pas les seules à exposer leurs charmes. Brantôme, pour décrire le climat qui règne lors de ces fêtes, selon son habitude, ne recule devant aucune image :

« Certainement, si le roy y eût introduit et planté une convocation et habitation de putains, comme fit Héliogabale à Rome, il serait à blâmer. Mais ce n'étaient que dames de maison, des damoiselles de réputation qui paraissaient en sa cour comme déesses au ciel. Que si elles favorisaient quelquefois leurs amours et serviteurs, quel blâme en pouvait avoir le roy puisque, sans user de force et violence, il laissait à chacune garder sa garnison, dans laquelle, si aucun entrait, il n'en pouvait mais. Voire qu'à une garnison de frontière où l'on veut faire la guerre, il est permis à tout galant homme d'entrer, s'il peut. »

Si on lit entre les lignes ce que ce diable de Brantôme insinue, il est vraisemblable qu'à l'occasion de ces fêtes nocturnes le roi est entré dans plusieurs de ces « garnisons ».

À Fontainebleau, François a préparé une attraction pour son hôte. Le 24 décembre, pour fêter Noël, comme l'empereur se promène dans le parc qui entoure le château, il se voit cerné par des « déesses et des dieux boccagés qui jaillissent de la forêt et, au son du hautbois, composent des danses rustiques ». Ce sont des figurants, travestis pour l'occasion et venus sur ordre du roi.

Pour la visite du château, c'est le roi de France lui-même qui sert de guide. Il sait mieux que personne détailler les merveilles exposées aux regards des visiteurs, des trésors qui, pour la plupart, proviennent d'Italie, de même que les décorations murales et les sculptures, œuvres des artistes que François a fait venir de ce pays. Pour lui, le rêve italien n'a pas qu'un aspect guerrier, il épouse aussi les formes les plus délicates de l'art.

Comme il se doit, Charles Quint admire, sourit, félicite, mais sans que pour autant disparaisse le voile de mélancolie qui l'accompagne : il est toujours inconsolable de la perte récente de son épouse, Isabelle, et les regards aimables que lui adressent les dames de la cour ne semblent guère l'émouvoir. Il n'en apprécie pas moins les attentions dont il est l'objet, comme la visite des appartements privés de François et aussi... de la chambre d'Anne. Car, bien entendu, la duchesse d'Étampes est de la fête et se comporte même souvent en véritable hôtesse, nullement gênée que l'homme auquel elle fait les honneurs de la demeure royale soit le propre frère de cette reine Éléonore dont elle prend si allègrement la place. François n'est d'ailleurs pas embarrassé d'être vu par son beau-frère en la compagnie permanente de sa maîtresse, pas plus que Charles Quint ne paraît s'en offusquer.

Pendant une semaine, à Fontainebleau, ce ne sont que banquets, danses, musiques. Fidèle à son adage selon lequel les femmes sont le plus bel ornement d'une cour, le roi a veillé lui-même à l'« habillement » de ces dames, choisissant les tissus et les modèles des robes qu'elles doivent porter. André Castelot, dans la biographie qu'il consacre à François Ier, énumère quelques-uns des achats du roi, relevés dans le livre de ses acquis :

« À Mme de Canaples, dix aunes de toile d'or frisé pour lui faire robe et cotte... Deux cent vingt et une aunes de velours violet cramoisi pour faire vingt-deux robes à vingt-deux demoiselles... »

Ces demoiselles, toutes de grande noblesse, rivalisent de grâce et de charmes, et Charles Quint lui-même, malgré son humeur morose, se laisse aller à en faire compliment à François. Dans le *Recueil au crayon d'Aix*, admirable album de l'époque, on retrouve les noms et les portraits de certaines de ces beautés, avec des appréciations notées de la main du roi ; ainsi celle que nous connaissons déjà à propos de Diane de Poitiers : « Belle à la voir, honnête à la hanter. » Sous le portrait d'une autre, on peut lire : « La mieux faite... » Et un peu plus loin : « Ce qu'elle cache est le parfait des autres... » ou encore « Honnête, grasse et plaisante à propos ».

Eu égard à son deuil récent, lors des bals qui se succèdent, Charles Quint ne prend pas part à la danse. Anne d'Étampes se sacrifie et reste assise à ses côtés pour lui faire la conversation. Un soir qu'ils s'entretiennent tous deux, l'empereur laisse tomber une de ses bagues ; la duchesse s'empresse de la ramasser et la lui tend, mais Charles Quint ne la prend pas :

— Selon la coutume, déclare-t-il, ce qui tombe de la main des rois et des confesseurs ne leur revient pas. Gardez-la, je suis trop heureux d'avoir l'occasion d'orner une si belle main !

On ne peut être plus galant ; décidément, l'empereur ne tient pas rigueur à la jeune femme de planter des cornes à sa sœur !

Le voyage de Charles Quint s'achève en apothéose par son entrée à Paris le 1er janvier 1540. Pour que tous les honneurs et que toutes les acclamations de la foule aillent à son hôte, François l'a laissé seul, se contentant d'assister à la scène d'une fenêtre de l'hôtel de Montmorency, rue Saint-Antoine. Le roi de France a orchestré une véritable revue à grand spectacle pour éblouir son invité. Il va y parvenir et, par la même occasion, exciter une fois de plus sa jalousie.

Au palais de la Cité, où François a logé Charles, il a fait dresser, sous un drap d'or, un buffet chargé des mets les plus succulents. Ce que l'empereur apprécie particulièrement car il est gourmand, comme en témoigne son comportement à table, dont André Castelot nous offre une savoureuse description, toujours dans son *François Ier* :

« Charles ne mange pas, il gloutonne, et chacun de ses repas est une exhibition propre à couper l'appétit aux autres convives... Il tient son assiette au-dessous de sa mâchoire déformée et il engloutit la nourriture en la poussant, à la manière dont certains Chinois mangent leur riz. Il déglutit le tout à l'aide de grandes lampées de vin du Rhin, dont il boit une bouteille à chaque repas !... Avec un tel régime, les attaques de goutte sont de plus en plus fréquentes. Il se refuse à écouter les conseils de son majordome qui lui répète : "La goutte se soigne en fermant la bouche !" »

L'exemple de Charles Quint n'est pas unique ; quand on songe à la quantité de nourriture et de boisson que souverains et grands seigneurs absorbaient à cette époque, on comprend pourquoi ils faisaient rarement de vieux os.

Après un ultime séjour au château de Villers-Cotterêts, les deux hommes se quittent avec force démonstrations d'amitié, en se faisant mille promesses... que ni l'un ni l'autre ne tiendront, bien entendu. Si les promesses des chefs d'État ont souvent la consistance du vent, les dépenses occasionnées par leurs visites ont, elles, un poids bien réel. La « promenade » de Charles Quint à travers la France a coûté la bagatelle de cent mille livres, sans apporter en compensation la moindre assurance pour l'avenir. Anne de Montmorency ayant été le plus chaud partisan de ce rapprochement, il est tenu pour responsable du peu de résultats obtenus. Comme on peut s'en douter, c'est la duchesse d'Étampes qui mène l'assaut contre le connétable, pas fâchée d'écarter du pouvoir cet ami fidèle de Diane de Poitiers et du dauphin Henri. À plusieurs reprises, elle entreprend le roi sur cette question et lui fait ressortir tous les dangers qu'il y a à laisser diriger les affaires par un homme qui prend ses consignes auprès de l'héritier du trône. Comme on le sait, entre François et son fils, il y a une mésentente absolue sur la politique de la France et si, pour le moment, le dauphin est bien obligé de s'incliner devant son père, il n'en multiplie pas moins les obstacles sur sa route.

Après quelques jours de conciliabules secrets, Mme d'Étampes obtient donc la « peau » du connétable. Anne exulte à la seule pensée de la tête que doit faire la « vieille ». Ce qui, durant ces journées, a favorisé encore davantage son influence sur les décisions de François, c'est que ce dernier souffre toujours du mal qu'il a ressenti l'automne précédent. À mesure que le temps passera, les rechutes seront de plus en plus fréquentes et, dans ces moments-là, François est moins enclin à résister aux désirs de sa maîtresse. Et, malgré ses nombreuses infidélités, il est toujours aussi épris de la jeune femme. Comme aux premiers jours de leur idylle, il lui adresse des poèmes où brûlent les feux d'une passion qui ne s'est pas éteinte avec le temps :

Et le jura par ses yeux et les miens,
Ayant pitié de ma longue entreprise,
Que mes malheurs se tourneraient en liens,

Et pour cela me fut heure promise.
Je crois que Dieu les femmes favorise,
Car de quatre yeux qui furent parjurés,
Rouges les miens devinrent, sans feintise ;
Les siens en sont plus beaux et azurés.

François prend un réel plaisir à versifier sur le thème de l'amour. Sans doute, tout autant que d'Anne, est-il amoureux de l'amour et, parce que la jeune femme offre à son rêve un corps palpitant et un visage troublant, parce qu'elle est un refuge pour les sentiments qui l'habitent, un réceptacle pour son trop-plein de tendresse, François trouve auprès d'elle le complément indispensable à sa joie de vivre. A-t-il conscience qu'il n'est pas payé de retour ? Que le calcul, plus que la passion, attache Anne à son destin ? C'est vraisemblable, le roi est trop intelligent, trop subtil pour n'avoir point percé le jeu de sa maîtresse. Mais il tient à son bonheur et n'entend pas le lâcher, même s'il s'agit d'un bonheur factice. Qu'importe les apparences dès l'instant où elles sont aimables ! Alors, plus que jamais, vive l'amour !

Il y a maintenant plus de quinze ans que les chemins d'Anne de Pisseleu et de François d'Angoulême se sont croisés. Ces chemins n'ont pas toujours été bordés de roses, mais il est clair dans l'esprit du roi que seule la mort pourra l'éloigner de la duchesse. Veut-on encore un témoignage de cette constance ? Au moment de la quitter pour l'une de ces expéditions guerrières qui l'entraînent loin de l'aimée, ce poème empreint d'amoureuse nostalgie :

Las ! Quand je vins pour de toi congé prendre,
Je vis ton cœur grossir quasi pour fendre.
L'honnêteté te commandait cacher
Sous ton visage amour que tiens tant cher ;
La crainte et peur que ne fusses connue

212

À chacun fit riante ta vue,
Et tout ainsi que Neptune en tempête
Par-dessus l'onde haussant l'antique tête,
Commande aux cieux en leurs lieux retourner
Par les efforts d'Éolus détourner,
Ainsi Raison usait de sa puissance
Sur l'estomac de toi lors sans défense...
Le seul adieu que dis sans prononcer
Fut si cruel qu'il sut mon cœur percer...
Or passent donc le temps et le malheur
Tout leur pouvoir, car à ce qui est tien
Mal ne feront ; prennent ce qui est mien ;
Rien ne prendront, car tout à toi je suis,
Et seulement ce que tu veux, je puis.

N'est-il pas touchant ce colosse, ce guerrier au courage indomptable, ce roi dont le règne constitue l'un des plus glorieux chapitres de l'histoire de France, oui, n'est-il pas touchant ce grand homme qui aime comme un petit garçon ?

10

Amour et poésie

Dans son goût pour le genre féminin, François Ier se montre des plus éclectiques. Les grandes dames n'ont pas forcément ses préférences, il a parfois des faiblesses pour ce qu'on pourrait appeler des « amours démocratiques ». Nous avons vu que, dans sa jeunesse, il s'était épris d'une humble fille de la campagne, dont la vertu était à ce point farouche que, tout en étant elle-même amoureuse du roi, elle avait repoussé la tentation d'une banale aventure. C'est à elle qu'il devra sa première déception amoureuse. Un peu plus tard, une fille d'aubergiste avait fait ses délices, puis des bourgeoises, mariées de préférence, le plaisir de planter des cornes à des époux naïfs augmentant encore son excitation.

De même, les prostituées auront toujours son indulgence. Non pas qu'il en fasse usage personnellement, sauf en de rares exceptions. À cet égard, et parce qu'elles ont bénéficié de cette « exception » royale, deux de ces dames sont passées à la postérité : Olive Sainte – patronyme incongru quand on exerce le plus vieux métier du monde ! – et Cécile de Viefville, dont la particule apparaît tout aussi incongrue et dont nous avons déjà parlé. Sans qu'il y ait certitude à ce sujet, il est vraisemblable que ces deux aimables filles offrirent parfois au roi un agréable « repos du guerrier ». S'il n'utilise qu'épisodiquement les services des filles de joie pour sa propre « consommation », en bon Samaritain, il pense à ses compagnons, en particulier aux jeunes seigneurs célibataires de son entourage. C'est pourquoi, comme il en est des troupes de comédiens et de jongleurs, une troupe de prostituées réside à la cour et suit cette dernière dans certains de ses déplacements. Ne nous étonnons pas de cette pratique insolite : François Ier ne fait que perpétuer une tradition observée par ses prédécesseurs, tradition inaugurée, qui l'eût cru, par le vertueux Saint Louis en personne ! Avec son souci de l'ordre, le roi a instauré des règles dans ce domaine. Pour en savoir plus, les bavardages de Brantôme nous sont, une fois de plus, fort utiles :

« Icelles sont gouvernées, écrit l'auteur des *Dames galantes*, par l'une d'elles qui est la dame des filles de joye suivant la Court. »

Et Brantôme précise que le roi leur sert bénignement des étrennes au dernier jour de l'année et qu'elles viennent lui présenter un bouquet de fleurs le 1er mai. À cet échange de bons procédés le monarque ajoute un don de vingt écus d'or, et le tient « ainsy qu'il a été accoutumé de toute ancienneté ».

Outre ces libéralités, François accorde à ces dames sa protection et veille à ce qu'elles ne soient point incommodées... en dehors de leurs heures de service !

Que le lecteur n'aille pas en déduire un manque de sens moral de sa part ; l'amour occupe dans sa vie un rang privilégié et, pour lui, l'amour vénal, c'est encore de l'amour, même si ce n'en est pas la forme la plus recommandable. De même, une femme, par son essence, est précieuse et mérite d'être traitée en conséquence, même si elle est tombée très bas. Une anecdote est, à cet égard, révélatrice des sentiments du roi.

Lors d'un de ses séjours à Paris, il regagne le palais de la Cité, où il a élu domicile. Fidèle à une vieille habitude de jeunesse, lorsque les affaires de l'État lui en laissent le loisir, il aime à flâner dans les rues de sa capitale, parfois suivi de quelques gentilshommes, parfois seul. Dissimulant son visage sous les plis d'une cape, il se mêle volontiers à la foule, friand du spectacle pittoresque qu'elle lui offre. En ce temps-là, en effet, dans certains quartiers de la cité, il se passe toujours quelque chose d'insolite : les marchands qui déballent leur chaland sur le sol et appellent le client, les disputes qui éclatent entre les postillons se croisant dans des ruelles trop étroites, les petits métiers qui s'expriment par les cris gutturaux de leurs pratiquants, autant d'images colorées, sonores, vibrantes dont le Paris de cette époque détenait le privilège.

Ce soir-là donc, près du Pont-Neuf, François observe le manège d'un montreur d'ours, quand son attention est attirée par des cris de femme. À quelques pas de là, un cercle de badauds s'est formé, qui semble se divertir de l'incident. Le roi s'approche et voit une femme aux prises avec trois soldats dont les intentions sont claires. La malheureuse essaie vainement de se défendre, tout en appelant à l'aide. Mais aucun des spectateurs ne paraît disposé à lui porter secours ; plus la femme se débat, plus elle crie, plus les rires redoublent dans l'assistance. François s'avance et semble prêt à intervenir quand une femme arrête son geste :

— Ne prenez pas cette peine, on la connaît, c'est une ribaude ! Qu'est-ce qui lui prend de faire la mijaurée ?

François écarte la femme, mais celle-ci insiste :

— Puisque je vous dis que c'est une ribaude !

— Peut-être, mais c'est une femme, réplique le roi et, d'un pas résolu, il saisit au col deux des soldats. On connaît sa force, les deux hommes se retrouvent sur le sol avant d'avoir compris ce qui leur arrivait ; ils n'insistent pas et filent comme des lapins. Mais le troisième est plus coriace. Sans doute furieux de s'être vu arracher sa proie, il sort son couteau et en menace le roi. Celui-ci éclate alors d'un rire sonore, ce qui a le don de rendre le soldat furieux ; le couteau haut levé, il se précipite sur François. Mal lui en a pris. Lui saisissant le bras, François le désarme et lui administre un vigoureux coup de poing qui l'expédie au royaume des songes. Versatile selon son habitude, la foule, qui l'instant d'avant vouait la prostituée aux gémonies, applaudit maintenant son sauveur et s'apitoie sur son sort. Quant à la fille, à peine revenue de sa surprise, elle demeure immobile, toute surprise qu'un seigneur aussi élégant ait pris sa défense. Alors, François, qui a peut-être deviné ce qui se passait dans sa tête, se tourne vers elle et lui dit simplement :

— Mademoiselle, les rues ne sont pas sûres... Il vaut mieux que je vous escorte jusqu'à votre logis.

Et tous deux s'éloignent ensemble, le roi de France et la ribaude, comme s'il s'agissait de la chose la plus naturelle du monde.

Le lendemain, en relatant l'affaire à son ami Fleuranges, qui la rapporte dans ses *Souvenirs*, François lui déclare en riant :

— Elle était belle, la mâtine ! Sans aucun doute, elle eût accepté de récompenser son sauveur, mais cela n'eût pas été conforme à la bonne morale !

Ces façons chevaleresques, dont le roi use dans des circonstances aussi exceptionnelles, tranchent avec le comportement des hommes de ce temps-là. Ainsi, sa manière de traiter les femmes diffère grandement de celle d'un de ses homologues, le roi Henri VIII d'Angleterre. Et puisque nous nous sommes aventurés sur la carte du Tendre, intéressons-nous un instant aux agissements de l'Anglais, ne serait-ce que pour les mettre en parallèle avec ceux du roi de France.

Si François Ier, malgré les années et le rythme infernal qu'il s'impose, est demeuré le bel homme au port majestueux que la lithographie de l'époque nous restitue, il n'en va pas de même du Tudor. En cinq années, entre 1535 et 1540, son tour de taille s'est « enrichi » de la bagatelle de quarante-deux centimètres, et son obésité a pris un aspect monstrueux. Et cet amas de graisse supplémentaire n'a pas adouci son caractère. Henri VIII n'a certes rien de ce que l'imagerie populaire appelle « un bon gros » ! Qu'on en juge : Anne Boleyn, la femme pour laquelle il a rompu avec Rome et provoqué le schisme que l'on sait, ne lui est pas demeurée longtemps fidèle. Ce qui peut se comprendre, étant donné sa coquetterie... et le physique de son époux. Lorsqu'il a connaissance de son infortune, et bien qu'il l'eût aimée passionnément, l'Anglais, plus féroce que jamais, l'a fait condamner à être décapitée.

Le jour fixé pour l'exécution de la malheureuse, Henri VIII passe sa journée à chasser, paraissant, au dire de ses compagnons, d'humeur fort joyeuse. Cependant, la reine d'Angleterre a témoigné, au seuil de la mort, d'une grande dignité. Au prêtre qui l'assiste dans ses derniers moments et l'exhorte au courage, elle a répliqué avec un sourire :

— J'ai entendu dire que le bourreau était très bienveillant et j'ai un très petit cou.

Mais, pour cet insatiable « Barbe-Bleue », il n'est pas question de demeurer longtemps célibataire. Anne Boleyn est morte le 19 mai 1536. Onze jours plus tard, soit le 30 du même mois, le roi choisit une autre de ses compatriotes, Jane Seymour. Celle-ci, sur le chapitre de la coquetterie, est le contraire de la reine défunte : timide, pudique, d'un caractère paisible et soumis, Jane Seymour offre toutes les garanties de sagesse souhaitables. Très fier d'avoir découvert aussi vite cette perle rare, Henri charge son principal ministre, Thomas

Cromwell, d'annoncer la nouvelle à François Ier. Cromwell, lord du Sceau privé, a toute la confiance de son maître. À ce titre, c'est lui qui a eu pour tâche d'effacer dans le pays toute trace de l'Église catholique.

En recevant la lettre qui l'informe du remariage soudain de l'Anglais, François ne peut s'empêcher de ricaner :

— On verra combien de temps la nouvelle reine pourra supporter cet ogre... confie-t-il à Anne d'Étampes.

Pourtant, cette union disproportionnée semble aller assez bien puisque, au mois d'octobre 1537, Jane Seymour donne un héritier à la couronne d'Angleterre, le futur roi Édouard VI. Hélas, la gloutonnerie de son mari est-elle contagieuse ? la jeune reine, « ayant mangé après son accouchement plus qu'elle ne pouvait tolérer », nous apprend un chroniqueur, meurt quelques jours après avoir mis son enfant au monde.

Henri accuse le coup ; il s'était accoutumé à la douceur de cette épouse de vingt-huit ans, qui était toujours du même avis que lui et ne lui adressait aucun reproche quand elle le voyait s'empiffrer aux repas.

Pendant plusieurs semaines, le roi d'Angleterre vit retiré du monde, en proie au chagrin le plus vif. Puis, un beau jour, il décide que son deuil a assez duré et qu'il va se remarier. Sur les conseils de ses ministres, ses préférences iraient volontiers à une princesse française, ce qui offrirait des avantages à la fois politiques et financiers. Consulté, François Ier propose plusieurs jeunes filles à l'ambassadeur d'Angleterre. Mais Tudor ne l'entend pas de cette oreille. Il ne veut pas d'un mariage qui ne soit que de convenance et désire que sa future femme lui plaise. Pour opérer son choix, il propose à François de se rendre à Calais afin de sélectionner lui-même l'« heureuse élue ». Pour ce faire, il passera en revue les prétendantes, alignées sur le môle, comme le ferait un maquignon désireux d'acheter une jument !

En recevant cette demande, le roi de France est outré ; le respect qu'il a témoigné aux femmes tout au long de son existence lui fait repousser avec indignation les prétentions de l'Anglais. De surcroît, en tant que fidèle serviteur de l'Église catholique, François Ier a un autre motif d'en vouloir au Tudor : celui-ci vient en effet de faire brûler en place publique les reliques de saint Thomas Becket, au grand scandale de toute la chrétienté.

Henri VIII tourne alors ses regards vers Christine de Danemark. Cette jeune personne, qui avait épousé le duc de Milan, offre cette particularité assez rare d'avoir été veuve... à quatorze ans. Elle est d'ailleurs ravissante, et l'on comprend qu'à la vue de son portrait le roi d'Angleterre se soit emballé. Quant à elle, la jeune princesse l'est beaucoup moins, et on la comprend si elle a vu également un portrait de son prétendant. Comme, de plus, il y a de l'esprit dans sa jolie tête, à l'ambassadeur d'Angleterre venu lui demander sa main au nom de son maître elle fait cette réponse pertinente :

— J'aurais accepté de vous suivre si j'avais eu une tête de rechange !

Le souvenir du sort infligé à Anne Boleyn constitue évidemment de fâcheuses références pour le roi d'Angleterre. Il ne désarme pourtant pas, et voici qu'une volontaire se présente en la personne de la vertueuse Anne de Clèves. Il faut croire que la perspective de monter sur le trône britannique est suffisamment alléchante pour qu'elle n'ait pas redouté d'unir son existence à un bonhomme aussi cruel qu'affreux.

Au début de l'année 1540, Anne de Clèves devient donc la quatrième épouse d'Henri VIII. Cependant, celui-ci regrette très vite d'avoir choisi cette « jument des Flandres », comme il la nomme galamment. Il lui reproche de ne parler que l'allemand et d'ignorer la langue anglaise, ce qui ne facilite évidemment pas leurs tête-à-tête. Mais le plus grave défaut de sa nouvelle épouse, selon lui, est de posséder des seins trop volumineux et... un postérieur trop généreux ! Ce qui, selon ses propres paroles, lui inflige, à chaque fois qu'il la voit, une « sensation d'écœurement ». Sans doute Henri ne se contemple-t-il jamais dans un miroir... sinon il risquerait d'aggraver son écœurement.

Anne de Clèves est donc répudiée l'année même de son mariage, ce qui est pour elle un moindre mal, d'autant qu'elle a reçu l'autorisation de demeurer en Angleterre avec une pension confortable.

Sans perdre de temps, dès le 26 juillet 1540, Henri est de nouveau « jeune marié », avec une « rose sans épines », selon lui, la ravissante Catherine Howard. Quel courage il faut à celle-ci pour accepter d'entrer dans le lit d'un personnage dont le corps gagne chaque année plusieurs kilos, de surcroît affligé d'un ulcère variqueux à une jambe. Elle ne tiendra pas longtemps, la belle Catherine, et plantera des cornes bien méritées à son horrible époux, faute qu'elle paiera de sa vie, en perdant la tête comme Anne Boleyn.

Ainsi, Henri VIII n'a pas craint de faire mettre à mort une autre de ses épouses, assumant aux yeux de l'Histoire une effrayante réputation. Ajoutons, à sa décharge, que cette fois, tandis qu'on exécutait la malheureuse, Sa Majesté a quand même daigné verser quelques larmes... Ce qui ne l'empêchera pas de se remarier, une sixième et dernière fois, son épouse ayant eu le privilège de lui survivre. Gageons que jamais veuve ne dut pousser un tel soupir de soulagement après la perte de son époux !

La comparaison de la vie amoureuse d'Henri VIII avec celle de François Ier nous a permis de constater que cette comparaison, convenons-en sans aucun chauvinisme, était tout à l'avantage du roi de France. Tandis que pour l'Anglais la femme n'est qu'un objet destiné à satisfaire son plaisir, pour le Français, elle est un être précieux, qui l'attire certes, mais auprès de qui il n'oublie jamais qu'il est un galant homme. Alors que les désirs de l'Anglais s'expriment de manière bestiale, ceux du Français s'entourent de raffinement : les prémices de la conquête d'une femme lui procurent autant de joie que son aboutissement. Sa longue liaison avec Françoise de Châteaubriant, suivie d'une liaison aussi longue avec Anne de Pisseleu, témoigne de son besoin de compagnie féminine. Il a obéi à la raison d'État en épousant successivement deux princesses que la politique lui imposait, mais, quand il s'agit de ses sentiments, c'est lui qui choisit. Son goût pour la beauté des femmes procède de la même origine que son amour des belles demeures et des œuvres d'art ; il y a chez lui de l'esthète et du mécène, toutes qualités qu'Henri VIII évidemment ne partage pas.

En un temps où la cruauté gouverne les actes des princes, où dans leurs amours ils ont des brutalités de rustres, où le respect humain est une denrée rare, François Ier constitue une exception. À côté des autres monarques, il est déjà un chef d'État moderne, aux conceptions nouvelles et hardies, aux manières délicates, aux idées tournées vers l'avenir. Il s'est penché sur l'âme et sur l'esprit de son peuple : outre la révolution artistique dont il est l'initiateur, il a voulu répandre sur la France cette brise de culture qui sera sa plus grande richesse. En veut-on quelques exemples ? Notre Bibliothèque nationale est l'incarnation directe de sa propre bibliothèque, qu'il abritait dans son château de Fontainebleau. Lecteur passionné depuis ses jeunes années, il décide, dès 1518, la création d'un grand cabinet des livres, qu'il enrichit constamment par de nouvelles acquisitions... ou réquisitions. Ainsi la bibliothèque de Fontainebleau connaît-elle son véritable essor en 1527, quand le roi fait saisir les riches collections du connétable de Bourbon après sa mort.

La bibliothèque est alors installée dans une salle basse du donjon, mais elle y est trop à l'étroit. François fait entreprendre des travaux d'aménagement, et elle dispose de vastes locaux à partir de 1530. Treize fenêtres, entre lesquelles sont disposés les casiers destinés aux livres, y font pénétrer des flots de lumière. Non seulement, répétons-le, le roi achète constamment de nouveaux livres, mais il n'hésite pas à faire main basse sur quelques précieux volumes lorsqu'on lui en signale l'existence. Ainsi, en 1538, envoie-t-il le poète Mellin de Saint-Gelais à Toulouse afin d'inventorier les volumes « estans en la librairie de feu évêque de Rieux, Jean de Pins ». De même, il achète des manuscrits grecs, fort rares à cette époque, ou encore il envoie des émissaires en Italie pour lui dénicher des écrits anciens. Ses ambassadeurs jouent également les sergents recruteurs et lui rapportent des merveilles que le roi montre à ses invités avec une légitime fierté.

Il va prendre une autre initiative dont les conséquences se répercutent encore de nos jours : avec les progrès de l'imprimerie, les livres nouveaux sont de plus en plus nombreux. En 1537, François ordonne qu'aucun ouvrage imprimé ne sera vendu sans qu'un exemplaire ne soit remis à Mellin de Saint-Gelais, qui dirige sa librairie. C'est là l'origine du dépôt légal, qui existe toujours sous une forme à peine modifiée.

La bibliothèque royale demeurera à Fontainebleau jusqu'en 1570 ; elle est alors transférée à Paris et installée un peu plus tard, en 1595, rue Saint-Jacques, dans de vastes bâtiments qui abritent aujourd'hui le lycée Louis-le-Grand. De là, elle partira en 1721 pour l'hôtel de Nevers, rue de Richelieu, où, de bibliothèque royale, elle deviendra Bibliothèque nationale et où elle est toujours, du moins en partie, puisque le gros de ses collections est à présent transféré sur les bords de la Seine, dans un immense édifice construit à cet effet.

Animé par une curiosité intellectuelle sans cesse en éveil, François, si l'on excepte Charlemagne, est le premier souverain français à se pencher sur l'avenir culturel de son pays. S'il nourrit pour les livres une telle passion, c'est qu'il a compris l'influence de la lecture sur l'âme d'une nation. Pour la même raison, il s'intéresse au développement de la langue française, encore rarement écrite, et qui recevra en 1549, deux ans après sa mort, son baptême officiel avec la publication du manifeste de la Pléiade, *Défense et Illustration de la langue française*. La Pléiade elle-même, ce cénacle de poètes et d'écrivains, où figurent notamment Ronsard, du Bellay, Baïf, a marché dans la voie que lui avait ouverte le Roi-Chevalier. Mais cet amour de la langue française et son désir d'en faire le véhicule de la pensée nationale n'empêchent pas chez lui le goût du cosmopolitisme en matière culturelle. Comme Montaigne, qui recommandait que l'honnête homme « frottât sa cervelle à celle des autres », François s'intéresse aux anciennes civilisations, dans lesquelles il voit la fondation de la culture universelle. Un de ses compagnons, le maréchal de Vieilleville, en a laissé le témoignage dans ses *Mémoires* :

« Quand le roi François vint à la couronne, l'on usait que de la seule langue latine, encore fort barbarement ; il n'y avait science qui eût cours et vogue en l'Université de Paris que la théologie. Mais il envoya en toutes les parties du monde, et principalement en Orient pour les langues hébraïques, grecque et chaldaïques, sans y épargner aucune dépense, d'où nous vinrent de grands et doctes personnages qui profitèrent si bien qu'en moins de quinze ans toutes langues et sciences furent remises sus, et le fit ce grand roi par sa libéralité fleurir plus que jamais. »

On le voit, François Ier s'investit lui-même dans la tâche qu'il a entreprise de donner à son pays la primauté de l'esprit sur les autres nations. Cette

« hégémonie » se poursuivra durant plusieurs siècles et assurera la réputation de la France, jusqu'à ce qu'elle subisse de nos jours ce phénomène général qui tend au nivellement de toutes les valeurs vers le bas. Le mérite du roi est donc grand qui consiste à remporter sur le champ de bataille des lettres et de l'art des victoires que le sort des armes lui a parfois refusées sur d'autres terrains. Souvent, réunissant autour de lui des poètes, des artistes et des savants, il ne se contente pas d'assister à leurs débats, mais leur montre la voie à suivre et leur assigne des objectifs précis. Michelet a su fort bien définir le rôle de première importance joué par François dans l'évolution des esprits à son époque :

« Dans ce siècle où tous les princes affichèrent la protection des arts, il y a entre les protecteurs des différences à faire : Léon X eut l'idée de faire Raphaël cardinal ; la politique de Charles Quint flatta Venise en ramassant le pinceau du Titien. Tous honorèrent les artistes, mais François Ier les aima. »

Michelet a raison, toute la spécificité du roi de France est là : les autres souverains ne sont que des mécènes, lui est à la fois mécène et partie prenante. Il aime les artistes, les poètes, les peintres, les musiciens, les savants comme il aime les femmes... Toutes proportions gardées, bien entendu. Autre exemple de l'estime du roi pour le génie des artistes dont il s'entoure, un jour qu'Anne d'Étampes est particulièrement « remontée » contre Benvenuto Cellini, qu'elle ne porte pas dans son cœur, François réplique :

— Tu peux le faire pendre, pourvu que tu me retrouves un artiste de sa taille.

S'il s'exprime ainsi, c'est qu'il pense que le talent de Cellini le met à l'abri d'un tel sort.

Une autre fois, il adresse à Cellini lui-même cette « déclaration d'amour » :

— Je sais bien que vous n'avez pas travaillé comme ces imbéciles qui, malgré qu'ils puissent faire quelque chose de gracieux, ne donnent point de sens explicable à leurs ouvrages. Mon ami, je ne sais lequel de ces deux plaisirs est le plus grand, celui d'un prince qui trouve un homme suivant son cœur ou celui d'un artiste qui trouve un prince qui lui donne toutes facilités pour exprimer ses brillantes inspirations.

Langage significatif. Sa protection s'étend également sur les hommes de lettres. Lorsque leur esprit d'indépendance ou l'irrévérence de leurs propos leur valent maille à partir avec la justice, il se porte aussitôt à leur secours. À propos de Rabelais, qui a encouru les foudres d'un puissant seigneur pour quelque insolence, il déclare à celui qui s'estime offensé : « Vous n'y toucherez pas » et l'autre se le tient pour dit. Mais c'est surtout Clément Marot qui a recours à ses bons offices. Ce charmant poète n'est pas un personnage de tout repos et son humeur le conduira souvent en exil ou en prison. Incarcéré une première fois en 1528, pour un rondeau que l'Église n'a guère apprécié, le poète est libéré sur l'intervention personnelle du roi, lui-même à peine délivré de sa prison madrilène. L'année suivante, Marot récidive : cette fois, il s'en est pris à des sergents du guet qui avaient arrêté l'un de ses amis. Le voici de nouveau derrière les barreaux. Il écrit aussitôt à son « ami » royal pour lui apprendre que « trois pendards » viennent lui signifier : « Nous vous faisons prisonnier par le roi. » Puis, ils l'emmenèrent...

... ainsi qu'une épousée,
Non pas ainsi, mais plus raide qu'un petit !

Toujours sensible lorsqu'on s'adresse à lui en vers, François Ier s'empresse d'ordonner la délivrance de « son cher et bien aimé valet de chambre Clément Marot ».

Il faut dire qu'il y a entre ces deux hommes, apparemment aux antipodes l'un de l'autre, de nombreux liens d'affinité. Tous deux sont au service de la poésie, ils sont presque du même âge, vingt-quatre ans pour le roi, vingt-sept pour le poète ; ils sont tous deux à Pavie, où ils sont faits prisonniers en même temps. Ce sont là des souvenirs communs qui lient deux hommes entre eux, d'où une certaine familiarité dans leurs relations, qui transparaît dans les épîtres que Marot adresse à François :

> *Roi des Français, plein de toutes bontés,*
> *Quinze jours a, je les ai bien comptés,*
> *Et dès demain seront justement seize,*
> *Que je fus fait confrère au diocèse,*
> *De Saint-Marie, en l'église de Saint-Pris,*
> *Si vous dirai comme je fus surpris,*
> *Et me déplaît qu'il faut que je le die...*

Homme d'esprit lui-même, François apprécie l'humour que le poète met dans ses propos, et la manière si personnelle qu'il a de se plaindre le ravit :

> *Ce pauvre esprit qui lamente et soupire*
> *Et, en pleurant, tâche à vous faire rire...*

Lorsque Clément Marot commet l'imprudence de manifester sa sympathie à la Réforme, ce qui l'oblige à chercher refuge hors de France, une fois de plus le roi vole à son secours et lui permet de venir reprendre sa place à la cour.

Marot n'est d'ailleurs pas le seul poète dont le roi s'est institué le protecteur. Mellin de Saint-Gelais, devenu son bibliothécaire, lui doit de pouvoir mener sa carrière sans souci pécuniaire. Il paie son écot avec des pièces en vers que le roi apprécie tout particulièrement. Souvent, il exécute une « commande » pour son maître, que celui-ci adressera à la dame de ses pensées, tel ce sonnet qui arrache des larmes d'émotion à

Mme d'Étampes, phénomène qui chez elle n'est pas tellement fréquent, la dame étant plus sensible aux biens temporels qu'aux joies de l'esprit :

Ces roses-ci par grande nouveauté
Je vous envoie et en est bien raison ;
La rose est fleur à la principauté.
Sur toutes est ainsi votre beauté,
Et comme, en France, à l'arrière-saison,
La rose est rare et n'est en grand foison ;
Rare est aussi ma grande loyauté.
Doncques vous doit la rose appartenir,
Et le présent et sa signifiance
Mieux que de moi ne nous pouvait venir.
Car, comme au froid elle a fait résistance,
J'ai contre nous aussi su maintenir.
Mon bon vouloir, ma foi et ma constance.

Dans le domaine de la pensée, la création la plus remarquable de François Ier est sans aucun doute le Collège de France. Jusque-là, seules les universités avaient mission d'instruire et d'éduquer. Parce que l'enseignement y était prodigué par des religieux, la théologie y avait la plus large part. Avec le Collège de France, le roi va en quelque sorte laïciser l'enseignement, en l'ouvrant sur des disciplines que l'Université, en particulier les pères de la Sorbonne, n'avait jamais abordées. Avec le Collège de France, c'est une nouvelle direction qu'aborde l'enseignement, qui aura une influence considérable sur l'avenir intellectuel de la France et de l'Europe. Cette initiative de François Ier sera peut-être la plus heureuse de son règne.

Guillaume Budé, l'un des plus brillants esprits de son temps, qui eut sa part dans les idées novatrices du roi, devait lui rendre un juste hommage en écrivant à son propos :

« Il est instruit dans les Lettres et il possède, en outre, une éloquence naturelle, de l'esprit, du tact, un abord facile et prévenant. En un mot, la nature l'a généreusement doué des dons les plus rares de l'esprit et du corps. Il se plaît à louer et admirer les anciens princes qui ont brillé par l'élévation de leur esprit et par l'éclat de leurs actions. Il a l'avantage de disposer d'autant de richesses qu'aucun roi au monde, et de donner plus largement que personne. Autant que je puis conjecturer, il a le désir d'être le fondateur d'un illustre Institut, afin d'en faire profiter les arts libéraux dans l'avenir, contrairement à ce qui a été fait jusqu'à présent. » Portrait flatteur sans doute, mais nullement usurpé : si François sut mieux aimer que la plupart des autres souverains, c'est parce qu'il aimait aussi avec son esprit.

11

Le crépuscule du dieu

Cette longue digression littéraire, au premier abord, semble peu en rapport avec le sujet de ce livre, dont le pilier central est constitué par la vie sentimentale du Roi-Chevalier. En fait, chez cet homme d'exception, les sentiments qui l'animent sont inséparables les uns des autres. Qu'il ait aimé la poésie, qu'il ait servi la culture, qu'il ait protégé les artistes, les écrivains et les savants procède de la même essence que son amour pour le beau sexe. Sa sensibilité intime se manifeste à chaque fois qu'il se trouve devant un spectacle harmonieux, que celui-ci soit une œuvre d'art ou une œuvre de chair. Dans l'excès même de cette sensibilité, il faut voir l'explication de son étonnante faiblesse pour Anne d'Étampes, de l'indulgence qu'il lui manifeste en toute circonstance. Quand il découvre sa maîtresse couchée auprès du jeune Nançay et qu'il fait semblant de ne pas la reconnaître, cette attitude, fort peu digne convenons-en, lui est dictée par l'excès même de ses sentiments. Là où, dans un cas pareil, Henri VIII réagit par la violence et va jusqu'à faire mettre à mort la coupable, François, lui, a trop de tendresse dans son cœur pour ne pas dominer les pulsions de son orgueil blessé.

231

Répétons-le encore une fois, c'est un amoureux, dans l'acception la plus absolue du terme. Ses propres infidélités résultent d'ailleurs de cet état amoureux permanent. Tout au long de sa liaison avec Anne, comme il en fut avec Françoise de Châteaubriant, le roi ne résistera jamais à une « belle nuit qui passe ». En général, on l'a vu, ce ne sont là qu'aventures fugitives qui ne laissent pas de traces. Il y aura pourtant une exception : il léguera un « souvenir » à l'une de ces « passantes » sous la forme d'un enfant naturel, le seul en vérité qu'on lui connaisse. François ne faisait pas mystère de sa paternité, mais, à l'inverse de ses successeurs, Henri IV et Louis XIV, le bâtard ne fera l'objet d'aucune faveur particulière, encore moins d'une légitimation. On le connaissait sous le patronyme banal de « M. de Villecouvin ». S'il ne détenait aucune charge prestigieuse, du moins avait-il ses entrées à la cour, où son père lui faisait le meilleur accueil, insistant avec ostentation sur leur parenté. Villecouvin ne manifestait d'ailleurs aucune ambition, mais il avait hérité ce goût du canular auquel le roi avait souvent sacrifié dans sa jeunesse.

Comme l'avait fait jadis son géniteur, le jeune homme aimait courir le royaume sous les travestis les plus insolites, en quête d'aventures pittoresques. L'une d'elles faillit fort mal tourner. Alors qu'il bat la campagne, il tombe sur une troupe d'archers qui venait de découvrir le cadavre d'un homme dissimulé dans un buisson. Par dérision, Villecouvin s'est fait ce jour-là la tête d'un bandit de grand chemin. Pour achever le déguisement, il est vêtu d'un pourpoint transparent à force de trous et porte une longue rapière avec laquelle il exécute des moulinets impressionnants. Son aspect intrigue évidemment les archers ; serait-il l'assassin du malheureux dont ils ont trouvé le corps ? On l'entoure et on le presse de questions. Comme il refuse d'y répondre, il est arrêté, ce qui semble fort le réjouir :

— À la bonne heure ! s'écrie-t-il. Vous vous jouez à moi. Je vous laisse faire.

Un peu plus tard, le voici qui comparaît devant le prévôt, auquel il s'adresse sur un ton narquois :

— Vous voulez savoir qui je suis, vous le saurez, je vous en réponds !

Même la menace d'être pendu ne semble pas l'effrayer et, à la façon dont il s'adresse au prévôt, celui-ci ne doute pas de tenir le coupable du crime. Craignant que le prisonnier n'ait des complices qui pourraient le délivrer, le magistrat ordonne qu'il soit pendu sur l'heure. Villecouvin accueille la sentence avec un calme imperturbable et se laisse conduire au gibet, le sourire aux lèvres. Le bourreau lui passe la corde au cou sans lui faire perdre sa bonne humeur. C'est alors qu'un seigneur du voisinage, présent par hasard, le reconnaît pour l'avoir rencontré à la cour de son père. Aussitôt, il communique l'identité du condamné au prévôt... qui manque se trouver mal d'émotion à la pensée de l'énorme bourde qu'il allait commettre. Bien entendu, il s'empresse de libérer le jeune homme, mais celui-ci ne l'entend pas de cette oreille. Refusant de descendre du gibet, il lance au magistrat :

— Faites-moi pendre, monsieur le prévôt, je vous en conjure !

C'était évidemment pousser la plaisanterie jusqu'à ses limites les plus extrêmes.

Quand il apprend l'histoire, le roi commence par entrer dans une violente colère, mais, chez lui, c'est un état qui ne dure jamais bien longtemps. Il se souvient de sa jeunesse et de ses propres folies, auxquelles sa condition royale l'avait obligé de mettre un frein. Il se rappelle notamment sa cocasse aventure avec la belle Mme Dishommes, ses cavalcades sur les toits pour fuir quelque mari jaloux ou ses frasques amoureuses commises à l'abri du masque, non seulement dans les villes de France, mais aussi en Italie quand il revenait victorieux de Marignan. Alors un sourire éclaire son visage : décidément, le jeune Villecouvin, cet enfant de l'amour, est bien son fils...

Malgré la maladie, qui lui inflige des rechutes maintenant plus fréquentes, rien apparemment n'a changé dans la personnalité du roi, ni dans son comportement. Il continue d'aller d'un château à l'autre, d'une chasse à l'autre, d'une fête à l'autre, semant sur son passage une gaieté contagieuse. Mario Cavalli, le nouvel ambassadeur de Venise, qui le rencontre souvent rend compte de l'impression que lui a fait le souverain.

« Le roi, écrit-il au doge de Venise, est d'une excellente complexion, d'une constitution vigoureuse et gaillarde que n'ont pas ébranlée les soucis, les disgrâces et les fatigues qu'il n'a cessé d'endurer dans tant de voyages et d'excursions à travers ses provinces. Il mange et boit fort bien et dort on ne peut mieux et, ce qui importe encore plus, il tient à vivre gaiement et sans trop de soucis. »

Vivre gaiement... Le Vénitien a vu juste ; c'est là un parti pris délibéré chez François qui tranche sérieusement avec l'humeur, le plus souvent rébarbative, des deux autres grands monarques de l'époque : Henri VIII et Charles Quint. Ce que l'ambassadeur aurait pu ajouter, c'est que le roi de France mène également une vie amoureuse toujours aussi bien remplie. Avec Anne bien sûr, mais aussi avec quelques autres, quand l'occasion se présente. Cette « boulimie » des plaisirs de la chair ne va pas sans aggraver son mal. Les abcès au périnée, qui réapparaissent régulièrement, finiront par provoquer la prostatite aiguë qui l'emportera. « Je suis puni par où j'ai péché », dira le roi au moment de sa mort, mais, en son for intérieur, ne considérait-il pas que c'était là la plus jolie façon de disparaître ? Pour un homme qui avait tant aimé, c'était une manière de mourir « au champ d'honneur », puisque le destin n'avait pas voulu qu'il succombât à la guerre.

La guerre... La voilà justement qui reprend entre les beaux-frères ennemis : François ne peut se résoudre à renoncer définitivement à son rêve italien, et Charles Quint ne se console pas d'avoir lâché sa proie royale après Pavie. Dans ce climat, où l'on cesse de se battre pour s'embrasser, puis de s'embrasser pour se battre de plus belle, Henri VIII brouille les cartes dans le désir de monnayer son assistance au plus offrant. François s'efforce de tisser un réseau d'alliances qui encerclera l'empereur d'Allemagne. Tous les moyens sont bons pour y parvenir, à commencer par le plus classique d'entre eux, le lien conjugal. Le roi a donc décidé que sa nièce Jeanne, la fille de sa sœur bien-aimée, Marguerite, épouserait le duc de Clèves, frère de la première épouse répudiée d'Henri VIII. La fillette n'a que treize ans, mais celle qui sera plus tard la mère d'Henri IV et la reine de Navarre, Jeanne d'Albret, possède déjà un caractère bien trempé. Quand sa mère lui a fait part des intentions du roi, elle a sérieusement regimbé, au lieu de s'incliner devant la raison d'État avec la docilité coutumière des princesses.

Bien qu'elle n'approuve pas le projet de son frère, Marguerite a insisté. Alors, sur un ton décidé, la petite a déclaré :

— Je me jetterai dans un puits plutôt que d'épouser le duc de Clèves !

Pour l'amener à résipiscence, on a dû employer les grands moyens : Marguerite de Navarre a administré à sa fille une robuste fessée, suivie de quelques coups de fouet, et finalement Jeanne a cédé. Le 14 juin 1541, après plusieurs jours de fête, le mariage est célébré à Châtellerault, dans une forteresse, triste symbole de la joie qui préside à cette union ! Mais Jeanne n'a pas dit son dernier mot : lorsque son époux, un gaillard de vingt-quatre ans, s'approche de la couche nuptiale, en présence, comme c'est l'usage, du roi de France, de Marguerite et du mari de cette dernière, la « jeune mariée » fait une telle comédie que Guillaume de Clèves se borne à glisser une jambe nue entre les draps et se retire prestement. La « consommation » de cette étrange union n'ira pas plus loin. Malgré sa déconvenue, Guillaume de Clèves n'en respecte pas moins son alliance avec son oncle... *in partibus*. Autre allié insolite du roi de France, le Grand Turc, Soliman, dont la flotte tient sous sa menace les côtes d'Italie et d'Espagne. L'hiver venu, pour donner asile aux équipages barbaresques, François Ier fait évacuer en partie la ville de Toulon afin qu'ils puissent s'y installer. Et voici que, durant six mois, Toulon devient une ville turque !

La guerre contre Charles Quint, comme les précédents conflits, est une suite d'allées et venues entre les Français et les Impériaux, selon que la victoire sourit momentanément aux uns ou aux autres. Ce genre de conflit pourrait durer indéfiniment si Charles Quint, constatant qu'une fois de plus son trésor est à sec, ne jugeait plus prudent de conclure une trêve. Le 18 septembre 1544, à Crépy, un nouveau traité est signé, un traité dont, pas plus que les précédents, les accords ne seront respectés. Son article principal prévoyait que le duc Charles d'Orléans, le fils cadet de François Ier, épouserait soit la fille soit la nièce de l'empereur d'Allemagne, les deux fiancées étant interchangeables puisque l'amour ne tenait aucune place dans l'affaire. Mais voilà que le 9 septembre 1545 le prince Charles disparaît soudainement à la suite de l'absorption d'un verre d'eau, comme le dauphin François huit années auparavant. Décidément, les verres d'eau ne valent rien aux fils de France ; à se demander s'ils n'auraient pas intérêt à se servir eux-mêmes ! Devant ce nouveau coup du sort, François Ier clame son désespoir :

— Dieu punit mon péché en m'enlevant mes enfants ! Il faut bien que je sois né sur une planète malheureuse sur laquelle je chemine toujours.

Lui-même n'est pas tellement bien en point ; au mois de juillet 1546, l'ambassadeur d'Espagne, avec une satisfaction non dissimulée, écrit à son gouvernement :

« Le roi de France a une veine rompue et pourrie dessous les parties basses, par où les médecins désespèrent de sa longue vie, disant être celle de laquelle dépend la vie de l'homme et que, si elle se rompt, il suffoquera. »

Malgré son état plus que précaire, il continue de vivre sur le même rythme, sans rien changer à ses habitudes, offrant toujours du haut de ses deux mètres le même aspect majestueux. Il est vraisemblable pourtant qu'il sait que ses jours sont comptés. Est-ce pour cette raison qu'il redouble de générosité vis-à-vis d'Anne d'Étampes ? La duchesse, qui déjà regorgeait de biens, se voit tout au long de l'année pourvue de nouvelles terres, de forêts, de fiefs, de baronnies, de chasses, de demeures, le tout assorti d'une augmentation substantielle de ses rentes, tandis que son influence n'a jamais été plus déterminante quand il s'agit de pourvoir aux plus hautes charges de l'État. À cause d'elle, Montmorency se morfond toujours dans une semi-défaveur, et c'est grâce à elle que l'amiral d'Annebault est entré au Conseil.

Tous ces bienfaits, qui comblent la favorite, ont pour conséquence d'exacerber la jalousie de Diane de Poitiers, laquelle se charge de « remonter » le dauphin contre la duchesse. Entre les deux femmes, la guerre se déroule maintenant à couteaux tirés, chaque incident prêtant à une nouvelle escarmouche et ces dames se déchirant à belles dents par partisans interposés. Ainsi, par exemple, le beau-frère de Mme d'Étampes, Guy de Jarnac, est en butte aux flèches acérées que lui décochent les amis de Mme de Brézé. Le personnage est une sorte de dandy avant la lettre et affiche une élégance tapageuse fort au-dessus de ses moyens, car il est désargenté. Un jour que le dauphin, avec une ironie persiflante, l'interroge sur le mystère de ses revenus, Jarnac répond que sa belle-mère, la seconde épouse de son père, l'entretient. Réponse aussi maladroite qu'ambiguë, qui ouvre la porte à toutes les suppositions. Le dauphin ne laisse pas passer l'occasion d'humilier ce parent de la duchesse d'Étampes et s'en va répéter partout que Jarnac est l'amant de sa belle-mère. Quand on lui rapporte ces paroles, Jarnac est hors de lui et, oubliant toute prudence, réplique que « quiconque avait menti était un méchant, un malheureux et un lâche ».

Le propos le visant, l'héritier de la couronne à son tour entre dans une violente colère ; il voudrait provoquer l'insolent, mais son rang lui interdit de se battre en duel avec l'un de ses sujets. Il se met donc en quête d'un « champion », auquel il confiera le soin de venger l'affront. C'est alors qu'un M. de La Châtaigneraie vient offrir au prince ses bons offices. Il le fait au moyen d'une lettre dont le moins qu'on puisse dire est qu'elle est une des plus belles illustrations de charabia épistolaire. Il commence par s'adresser au dauphin en l'appelant « Sire », ce qui est enterrer François Ier un peu vite :

« Sire, écrit-il, ayant entendu que le baron de Jarnac a dit que quiconque avait dit qu'il se fût vanté d'avoir couché avec sa belle-mère était méchant et malheureux, sur quoi, Sire, je réponds qu'il a méchamment menti quand il dit quelque chose qu'il ne m'ait dit, car je l'ai dit... »

Si le lecteur a pu débrouiller l'écheveau des idées de La Châtaigneraie, il y a quelque mérite... Quoi qu'il en soit, le dauphin est ravi et accepte que le bonhomme prenne l'offense à son compte. À première vue, la rencontre est disproportionnée, tant les forces des deux adversaires sont inégales : alors que Jarnac, comme l'écrit un contemporain, est un « petit dameret qui faisait plus grande profession de se vêtir que d'user des armes de guerre », La Châtaigneraie est un colosse, qui affiche complaisamment sa force herculéenne. Ainsi, un jour, devant une partie de la cour rassemblée pour l'événement dans une arène, a-t-il combattu un taureau qu'il a renversé... en le saisissant par les cornes. Une autre fois, il a lutté contre cinq adversaires en même temps et les a obligés à demander merci. De surcroît, il passe pour une des plus fines lames du royaume et ses victoires en duel sont nombreuses ; il a même tué l'un de ses adversaires. Dans ces conditions, Jarnac va au-devant d'une mort certaine. Anne d'Étampes en est tellement convaincue qu'elle va trouver le roi pour lui demander d'interdire l'affrontement. On n'est pas chevalier pour rien, François commence par refuser :

— L'honneur me défend d'empêcher deux gentilshommes de se battre, dès l'instant où ils en ont décidé ainsi.

Celle-ci est au désespoir et elle insiste :

— Vous voulez donc que mon malheureux parent soit massacré par ce spadassin ?

Et de répandre là-dessus un torrent de larmes, ces larmes auxquelles François n'a jamais le courage de résister. Il n'y résistera pas davantage cette fois : le duel est interdit... Au grand désappointement d'Henri et de Diane, qui se réjouissaient déjà à l'idée du triste sort réservé à Jarnac et de la peine qu'en aurait eue leur ennemie intime, la duchesse. Henri proteste auprès de son père pour essayer de lui faire reporter son interdiction, mais, dûment chapitré par sa maîtresse, le roi tient bon.

L'affaire aura d'ailleurs un épilogue inattendu. Après la mort de François Iᵉʳ, Henri II n'est roi que depuis quelques semaines quand Diane remet l'histoire sur le tapis : elle semble tenir vivement à ce que La Châtaigneraie trucide le malheureux Jarnac. Le nouveau roi s'empresse de satisfaire au désir de sa favorite. Lui non plus, tout comme son père, ne résistera jamais aux prières de la femme qu'il aime. Au mois de juillet 1547, le duel se déroule au cœur de la forêt de Saint-Germain. En vérité, la rencontre a tous les aspects d'un spectacle : Henri et Diane y ont convié leurs amis, heureux de l'humiliation publique que va essuyer Guy de Jarnac... avant d'être mis à mort par ce bretteur de La Châtaigneraie. Tel l'ordonnateur d'une fête, le héraut d'armes s'avance et libère les combattants ; le duel commence.

Il va s'achever au bout de quelques instants, d'une manière que le roi et sa favorite n'avaient certes pas prévue. Les deux hommes ont à peine croisé le fer que Jarnac porte à son adversaire une botte secrète aux effets foudroyants ; on apprendra par la suite que c'est un maître d'armes italien qui la lui a enseignée, quelques jours avant le duel. Le jarret gauche coupé profondément, la Châtaigneraie s'écroule dans un gémissement, tandis que des flots de sang s'échappent de sa blessure. Selon la coutume d'une époque où le prix de la vie humaine est à la portée de toutes les bourses, le vainqueur pourrait achever le vaincu, mais ce n'est pas le genre de Jarnac. Il se refuse donc à exécuter son adversaire, à moins que le roi ne lui en donne l'ordre. Henri est tellement stupéfait par cette conclusion qu'il demeure les yeux fixes, sans réaction et sans parvenir à articuler le moindre son. Jarnac, très maître de lui, l'interroge :

— Quel est le bon plaisir de Votre Majesté ? Souhaite-t-elle que je fasse grâce de la vie de M. de La Châtaigneraie ou ordonne-t-elle que je poursuive ?

Le mutisme du roi se prolongeant, Guy de Jarnac réitère sa question à trois reprises. Finalement, faisant un effort sur lui-même, Henri II, d'une voix tremblante, convient que l'honneur de M. de Jarnac est sauf, sans qu'il soit besoin d'aller plus loin.

Il était temps : le « champion » du roi avait déjà perdu beaucoup de sang et son existence ne tenait plus qu'à un fil.

La victoire de son beau-frère dut fort réjouir la duchesse d'Étampes, mais elle n'avait pu y assister, étant déjà éloignée de la cour sur ordre de Diane. Quant au vainqueur surprise de ce combat, il devait passer à la postérité grâce à sa fameuse botte secrète qui allait donner naissance à l'expression « coup de Jarnac ».

Les péripéties du duel que se livrent, elles aussi, Anne et Diane nous ont conduits à anticiper les événements ; revenons donc au fil de notre récit pour constater que François, en dépit de la maladie qui gagne chaque jour du terrain, poursuit sa vie de « roi vagabond », parcourant son royaume en tous sens comme si, pressentant que le temps lui est compté, il voulait une dernière fois admirer au plus près ce pays de France qu'il aime tant et dont il a servi la grandeur. Anne d'Étampes ne le suit plus dans ses pérégrinations, pas plus d'ailleurs que son épouse, la reine Éléonore. Peut-être sont-elles lasses de ces courses incessantes d'une province à l'autre. François, lui, n'offre pas l'apparence d'un homme fatigué. Ce portrait, déjà cité, que brosse de lui en 1546 l'ambassadeur de Venise, Mario Cavalli, est le reflet de l'activité royale, qui fait l'admiration du corps diplomatique... et aussi sa fatigue. L'étiquette exige en effet, dans la plupart des cas, que les ambassadeurs étrangers suivent le roi dans ses déplacements. Rendant compte à son gouvernement, l'ambassadeur Cavalli écrit :

« Le roi est maintenant âgé de cinquante-deux ans ; son aspect est tout à fait royal, en sorte que sans jamais avoir vu sa figure ou son portrait, à le regarder seulement, on dirait : "C'est le roi !" Tous ses mouvements sont si nobles et si majestueux que nul prince ne saurait l'égaler. Son tempérament est robuste, malgré les fatigues excessives qu'il endure et qu'il a toujours endurées dans tant d'expéditions et de voyages. Il y a bien peu d'hommes qui eussent supporté de si grandes adversités. Au surplus, il se purge de toutes les humeurs malsaines qu'il pourrait amasser, par un moyen que la nature lui fournit une fois dans l'année ; ce sera là ce qui le fera vivre peut-être encore très longtemps. Il mange et boit beaucoup ; il dort encore mieux, et qui plus est il ne songe qu'à mener joyeuse vie. Il aime un peu la recherche dans son habillement, qui est galonné et chamarré, riche en pierreries et en ornement précieux ; les pourpoints mêmes sont bien travaillés en tissus en or ; sa chemise est très fine, elle sort par l'ouverture du pourpoint, selon la mode en France. Cette vie délicate et choisie contribue sans doute à conserver sa santé. »

Même s'il se montre trop optimiste dans ses prévisions, le portrait que l'ambassadeur vénitien fait du roi témoigne d'une certaine intimité avec lui. L'allusion, exprimée en termes pudiques, selon laquelle le souverain « ne songe qu'à mener joyeuse vie » nous dit qu'il n'a pas mis un frein à ses excès de plaisirs charnels. Excès qui se trouvent favorisés, quand il voyage, par l'absence de la duchesse d'Étampes. Pour apaiser la jalousie de la dame, lorsqu'il est éloigné d'elle, François la comble de billets brûlants, où il proteste d'une passion qu'on dirait celle d'un jeune homme. Dans la plupart des cas, il s'exprime en vers, et même si ceux-ci ne sont pas d'une qualité irréprochable, ils témoignent d'une tendresse constante :

Étant seulet auprès d'une fenêtre,
Par un matin comme le jour poignait,
Je regardai Aurore à main senestre
Qui à Phébus le chemin enseignait,
Et d'autre part m'amye qui peignait
Son chef doré, et vis ses luisants yeux,
Dont un jeta un trait si gracieux
Qu'à haute voix je fus contraint de dire :
« Dieux immortels, rentrez dedans vos cieux

Car la beauté de cette vous empire. »
Ainsi ma Dame en son regard tenait
Tout obscurci le soleil radieux.
Donc, de dépit, lui triste et odieux
Sur les humains en daigna plus luire,
Par quoi lui dis : « Vous faites pour le mieux,
Car la beauté de cette nous empire. »
Quelques mortels, j'en serais soucieux.
Devais-je pus doncques craindre les dieux
Et dépriser, pour fuir tel martyre,
En leur criant : « Retournez en vos cieux,
Car la beauté de cette vous empire. »
Cour qui bien aime ce désir curieux
D'étranger ceux qu'il pense être envieux
De son amour et qu'il doute lui moire :
Par quoi j'ai dit aux dieux très glorieux
Que la beauté de cette les empire.

Veut-on d'autres exemples de l'ardeur amoureuse du roi pour son égérie ? À propos de ce duché d'Étampes dont il l'a voulue souveraine, François s'amuse à opérer un rapprochement entre Étampes et Tempé, cette vallée de Thessalie dont Virgile chanta la beauté :

Ce plaisant val que l'on nomme Tempé,
Dont maint histoire est encore embellie,
Arrosé d'eau, si doux, si attrempé,
Sachez que plus il n'est en Thessalie.
Jupiter, roi qui les cœurs gagne et lie,
L'a de Thessalie en France ramené,
Et quelque peu son propre nom mué,
Car pour Tempé veut qu'Étampes s'appelle.
Ainsi lui plaît, ainsi l'a situé
Pour y loger de France la plus belle.

Peut-on exprimer ses sentiments avec plus d'élégance ? On ne le répétera jamais assez : en un temps où

243

les mœurs sont encore empreintes de rudesse, François demeure un cas d'espèce.

À ces protestations d'amour, Anne d'Étampes répond sur le même ton, affectant une humilité plus littéraire que réelle lorsqu'elle se lamente de l'absence de son amant :

> Ne te souviens que pour toi ai laissé
> Tous mes amis et chacun de laissé.
> J'ai oublié en tout ce qui leur touche
> Pour obéir au plaisir de ta bouche...
> Las ! Si t'avais en rien fait quelque offense,
> Je ne voudrais pour moi autre défense
> Qu'avecque pleurs pardon te demander
> Pour mon erreur et défaut amender.
> Mais tu sais bien qu'en rien je n'ai failli
> Ni mon vouloir hors de ta loi saillit.
> Mais si mon mal te sert, aussi ma peine,
> Et que cela bien conduise et amène,
> Je tiens heureux mon pénible malheur...
> Entre banquets, tournois et grands honneurs,
> Étant servi de dames et seigneurs,
> Pense alors que le cœur de t'amie
> D'autre triomphe en soi n'a nulle envie,
> Sinon te faire apparaître et savoir
> Que son amour fit toujours son devoir,
> Et que si faute elle a fait en aimant,
> C'est t'avoir cru vrai et loyal servant.

À mesure que le temps passe et qu'Anne prend conscience que la vie du roi approche de son terme, ses sentiments pour lui semblent prendre un tour plus ardent. Peut-être aussi fait-elle le compte de tout ce qu'elle perdra quand la faveur de François ne pourra plus s'étendre sur elle. En tout cas, ce retour de tendresse, même tardif, sera pour le roi le dernier sourire de son existence.

Lui-même éprouve maintenant le besoin de se remémorer son passé ; l'image de Françoise de Châteaubriant revient parfois devant ses yeux. Sans doute y a-t-il l'ombre de quelque remords planant sur ses souvenirs. C'est ce qui ressort de cette épitaphe commandée par le roi, jadis, à Clément Marot, son poète préféré, et dont il ordonne qu'elle soit gravée sur le tombeau de l'infortunée comtesse, à côté de celle qu'il composa pour elle lorsqu'il apprit sa disparition :

> *Sous ce tombeau gît Françoise de Foix,*
> *De qui tout bien tout chacun voulait dire,*
> *Et, le disant, avec une seule voix*
> *Ne s'avança d'y vouloir contredire.*
> *De grande beauté, de grâce qui attire,*
> *De bon savoir, d'intelligence prompte,*
> *De biens, d'honneur, et mieux que ne raconte,*
> *Dieu éternel richement l'étoffa.*
> *Ô visiteur, pour abréger le compte,*
> *Ci-gît un rien, là où tout triompha.*

François revint-il s'agenouiller auprès du tombeau de son ancienne favorite, comme la rumeur alors en courut ? Bien que l'on n'en ait aucune certitude, il est possible qu'il ait éprouvé l'envie d'adresser cet hommage à une femme qu'il avait aimée et dont il avait été aimé plus encore. D'autant que, lors d'un de ses voyages, il était passé non loin de Châteaubriant...

Durant l'avant-dernière année de son existence, outre ses fredaines amoureuses et ses relations plus ardentes que jamais avec Anne d'Étampes, le roi est toujours aussi avide de divertissements, certains se révélant d'une étonnante puérilité pour un homme de son âge, malade de surcroît. L'un de ces jeux enfantins va tourner au drame. Le 18 février 1546, le roi réside pour quelques jours dans son château de La Roche-Guyon ; il est accompagné du dauphin, Henri, de son cousin, le comte d'Enghien, et de quelques seigneurs de moindre importance. Pour se distraire, ces messieurs ont décidé de jouer à la petite guerre. Deux camps se forment : l'un attaquera le château, l'autre le défendra. C'est Enghien qui commande les assaillants ; pour se défendre, les assiégés font pleuvoir sur eux une foule d'objets hétéroclites... dont un coffre de grande taille qui atterrit sur la tête du comte d'Enghien. Le choc est si violent que le malheureux garçon en meurt.

Cette disparition arrache au roi de nouvelles lamentations : « J'ai donc bien offensé Dieu, pour qu'il m'ait enlevé deux de mes fils et, après eux, quelqu'un que j'aimais comme un enfant. »

Et, pour noyer ce chagrin, le roi ne trouve qu'un seul remède : se précipiter dans les bras de la duchesse d'Étampes, qui réside alors à Challeau, l'un de ses nombreux châteaux.

12

« Adieu, mes belles amourettes... »

François Ier approche de sa fin. Mais, avant que le géant touche la terre pour ne plus se relever, il entend demeurer jusqu'à l'ultime instant le maître de ce royaume dont il a fait une œuvre d'art. Dans son coin, maintenu dans une position subalterne, toujours mené par le bout du nez par Diane de Poitiers, le dauphin Henri ronge son frein, entouré de ses partisans, qui attendent impatiemment son accession au trône pour déclencher la curée vers les faveurs.

Le 16 janvier 1544, il se produit un événement qu'on n'attendait plus : après neuf années d'une stérilité désespérante, Catherine de Médicis, l'épouse oubliée, met au monde un garçon, qui sera l'éphémère roi François II. Cette naissance est, pour une bonne part, l'œuvre... de Diane de Poitiers ! Lorsque à plusieurs reprises il a été question de répudier l'Italienne pour cause d'incapacité à procréer, Diane s'y est opposée avec énergie ; elle ne tenait pas à ce qu'une nouvelle épouse, moins tolérante que Catherine, vînt menacer sa position. En conséquence, pas question de divorce. Bien mieux, Henri manifestant une répugnance visible à honorer sa femme, Mme de Brézé *exige* de lui qu'il

« visite le lit conjugal, une ou deux fois par semaine pour le moins »... On n'est pas plus généreuse !

Consciente de la dette contractée envers la toute-puissante maîtresse de son mari, Catherine se met au service de Diane. Après la mort d'Henri II, la reine fera payer cher à la favorite sa soumission passée, mais nous n'en sommes pas là, personne ne peut alors soupçonner la véritable personnalité de l'Italienne. En attendant, ainsi que l'écrira Philippe Erlanger : « François Ier fit les frais du pacte auquel la Médicis ne craignit pas de souscrire ; mettant à profit le plaisir qu'il prenait à sa compagnie, Catherine le trahit au bénéfice de sa propre rivale, de la maîtresse de son époux. La seconde dame de France tomba au rang d'espionne. Elle flattait, courtisait, cajolait chacun... Toujours douce, souriante, officieuse, empressée à plaire. Le soir, elle rapportait à sa chère cousine les informations glanées le long du jour. [...] Avec quel mépris la superbe Diane, l'arrogant connétable[1] jugeaient cette créature qui acceptait "tant" de honte afin de garder son titre dérisoire ! Vingt ans plus tard, découvrant enfin le visage sous le masque, ils devraient être épouvantés. »

Nullement méfiant vis-à-vis de cette belle-fille qu'il a prise en amitié, le roi se laisse donc « tirer les vers du nez » et va jusqu'à lui parler de ses affaires de cœur avec Anne... propos que la dauphine s'empresse d'aller rapporter à sa « protectrice ». Cette complaisance, si elle lui vaut d'être tolérée par son mari, ne lui apporte pas le moindre regain d'affection de la part de celui-ci, ni ne lui restitue les prérogatives auxquelles son rang lui permettrait d'aspirer. D'ailleurs, Éléonore, la reine de France en titre, même si François Ier lui manifeste un certain respect, ne jouit guère de plus de considération. Non, la véritable reine, c'est Anne d'Étampes,

---

1. Montmorency.

mais pour combien de temps encore ? Aux yeux de tous, même s'il s'efforce de donner le change, il est évident que le roi n'est plus le même homme. L'abcès, qui se réveille sans cesse, fait apparaître cinq « pertuys ». Les médecins se montrent très pessimistes sur l'« avenir d'un homme fort pourri dedans le corps », selon leurs propres termes. Pourtant, à Noël, il se sent mieux et il en profite... pour retourner à ses distractions amoureuses, aussi bien avec la duchesse d'Étampes qu'auprès de la jeune épouse d'un vieux barbon qui lui fait de doux yeux. Cet homme est aussi infatigable qu'incorrigible !

Et la course infernale reprend ; on dirait qu'en ne s'attardant que quelques jours dans un lieu ou dans l'autre François redoute que la mort ne vienne l'y chercher et qu'il essaie d'échapper à son étreinte. Ce qui, vu son état, est à peine croyable, c'est que, dans chacun des châteaux qu'il visite, il entend qu'on y festoie, et il se livre toujours à son plaisir favori : la chasse. Il a pourtant bien du mal à monter à cheval ; il va d'ailleurs bientôt y renoncer et ne plus circuler qu'en litière, mais il affiche pourtant toujours une belle humeur.

Au mois de février 1547, il séjourne à Saint-Germain quand il apprend le décès d'Henri VIII. Un chroniqueur du temps rapporte : « Un gentilhomme anglais lui vint déclarer le trépas du feu roi d'Angleterre et dire de sa part, selon qu'il avait ainsi enjoint à l'article de la mort, qu'il dût penser qu'il était mortel comme lui, laquelle admonition l'estonna et advint qu'au même instant il tomba malade. »

Le témoin va sans doute trop loin dans ses affirmations : ce n'est pas la disparition d'Henri VIII qui rend François Ier malade, il l'était déjà depuis longtemps, mais il est certain qu'elle lui donne à réfléchir. La pensée de devoir peut-être rendre bientôt compte de ses actes le préoccupe. S'en ouvre-t-il à Anne ? C'est bien possible si l'on s'en rapporte à une lettre que la duchesse, qui réside alors dans son château de Limours, lui adresse et dans laquelle elle lui affirme « qu'il n'a mis que du bien en toutes choses et partout autour de lui ». Il est vrai que son bilan terrestre est « angélique » si on le compare à celui du roi d'Angleterre. L'inventaire macabre des « exploits » du Tudor et du nombre de têtes qu'il a livrées au bourreau laisse rêveur : deux de ses femmes, deux cardinaux, dix-neuf évêques, treize abbés, cinq cents prieurs, soixante et un chanoines, quatorze archidiacres, cinquante docteurs, douze marquis, trois cent dix chevaliers, douze barons, six cent vingt roturiers, et aussi la comtesse de Salisbury, une octogénaire dont l'exécution tourna au massacre car elle avait été confiée à un « bourreau stagiaire », le titulaire se trouvant absent... Peu de rois peuvent se vanter d'un « palmarès » comparable à celui d'Henri VIII, dont l'éclectisme est à remarquer, puisque ses victimes appartiennent à toutes les catégories de la société, avec cependant une « préférence » pour le clergé... Ces exactions abominables n'empêchent pas l'Anglais de faire preuve d'un étonnant optimisme au moment de son trépas :

— La miséricorde du Christ est capable de me pardonner tous mes péchés, même s'ils étaient encore plus grands, déclare-t-il. Laissons-lui la responsabilité de ses illusions...

Quel qu'ait été le sort que le Ciel lui réservait, en mourant le Tudor a porté un coup au moral du roi de France. Martin du Bellay, qui l'observe alors, rapporte :

« Le roi, partant de Folembray, vint à Compiègne et, y ayant séjourné trois semaines ou un mois, reçut les nouvelles du trépas du roi Henri d'Angleterre. Duquel trépas, le roi porta grand ennui parce qu'ils étaient presque d'un même âge et de même complexion, et eut doute qu'il fût bientôt pour aller après. Ceux qui étaient près de sa personne trouvèrent que depuis ce temps, il devint plus pensif qu'auparavant. »

Tandis que François a ainsi la prescience de sa fin prochaine, Anne doit en avoir également la crainte. Comment ne mesurerait-elle pas les périls qui s'abattront sur elle lorsque le roi disparaîtra ? L'immense faveur dont elle a joui depuis près de vingt ans, les privilèges inouïs, les richesses immenses qu'elle a accumulées, tout cela peut s'évanouir comme un mirage du jour au lendemain. Elle aussi est amenée, par la force des événements, à établir son examen de conscience et peut-être à s'adresser des reproches. Elle n'a jamais aimé François. Non seulement elle l'a copieusement trompé, mais elle n'a cessé durant leur liaison de lui soutirer honneurs et fortunes pour elle et les siens. Bilan plutôt navrant, mais que vient heureusement corriger cette réalité incontestable : elle a rendu François heureux. Par sa seule présence, elle a été le couronnement sentimental de son existence.

Tandis que dans son château de Limours la duchesse adresse au Ciel des prières pour lui demander un miracle, jetant ses ultimes forces dans son combat contre l'inéluctable, le roi quitte Saint-Germain à la mi-février et reprend la route pour rejoindre Anne. Il est bien dommage qu'aucun témoin n'ait pu nous rapporter ce que furent les dernières conversations des deux amants. C'est en tout cas près d'elle qu'il passe le Carême, fait symbolique puisque François est profondément religieux, en dépit de ses péchés... ou peut-être à cause d'eux. Après avoir assisté à une chasse – la dernière de son existence – à Rochefort-en-Yvelines, il arrive à Rambouillet le 1ᵉʳ mars 1547. Il voulait en repartir dès le lendemain pour Saint-Germain, mais Anne, qui l'a accompagné, s'y oppose avec sagesse. D'ailleurs, il se sent à bout de forces. Durant les quatre semaines qui lui restent à vivre, la femme qu'il aime ne le quittera pas d'un instant. De son côté, même au seuil de la mort, il continue de diriger son royaume, ordonnant de nouvelles dispositions pour la défense de la

Provence, car il redoute une offensive de Charles Quint. Il dicte ses instructions à l'amiral d'Annebault, son fidèle compagnon, mais il passe aussi de longs moments en tête à tête avec Anne, dernier sourire d'une vie qui s'achève...

Tandis que la duchesse d'Étampes et ceux qui ont embrassé sa cause connaissent une angoisse croissante et comptent les jours qui précèdent leur inéluctable disgrâce, dans le camp adverse, au contraire, le climat est à l'euphorie, même si, par une élémentaire décence, on s'efforce de n'en rien laisser paraître. Diane attend avec une impatience fébrile le dernier soupir du roi, qui marquera le premier jour de son avènement au rang de favorite royale. Auprès d'elle, les Guise ne sont pas moins impatients de pouvoir donner libre cours à leur avidité de pouvoir, une avidité qui, pendant quarante ans, va faire souffler sur la France une tempête permanente.

Quant au dauphin, Henri, ses sentiments sont partagés : la rivalité qui oppose Anne d'Étampes et Diane de Poitiers a eu pour conséquence de l'éloigner de son père, dont, par ailleurs, il n'approuve aucune des décisions politiques. Pourtant, le spectacle de ce géant que la mort s'apprête à foudroyer provoque en lui une vive émotion. Au moment de saisir le sceptre royal, sa main tremble et hésite. Diane va se charger de raffermir sa volonté.

Cependant, le 20 mars, l'état du roi s'aggrave encore. Les médecins, une nouvelle fois, incisent l'apostume « duquel il se retrouve telle pourriture que les médecins désespèrent de la curation ». En effet, à mesure que les jours passent, la vie se retire peu à peu de cet homme qui fit d'elle un usage si généreux. Ce guerrier intrépide, cet esprit raffiné, cet amoureux passionné, n'est plus qu'un pauvre pécheur attendant que la mort vienne le chercher. Le 29 mars, regardant sans crainte la réalité, avec cette dignité qui n'appartient qu'aux seigneurs, le roi décide de se mettre en règle avec le Ciel. Il n'était que temps... S'il veut obéir aux recommandations de son confesseur, il lui faut évidemment éloigner l'« objet du péché ». Cruelle obligation que de se séparer, en ce moment ultime, de l'être qu'il aime le plus au monde...

Comprenant alors qu'elle vit le dernier jour de son « règne », Anne se répand en gémissements :

— Terre, terre, engloutis-moi ! s'écrie-t-elle entre deux sanglots.

En attendant que la terre l'engloutisse, elle part se réfugier dans son château de Limours, avec l'anxiété qu'on devine concernant son sort.

Cependant, après le départ de la duchesse, François fait venir son fils auprès de son lit. En cet instant solennel, les deux hommes oublient les conflits qui les ont souvent opposés et le tissu d'intrigues et de perfidies que leurs partisans respectifs ont tissé afin de plus sûrement les séparer. Dans la chambre du roi, il n'y a plus qu'un père mourant et un fils qui le pleure. À l'instant où il va quitter ce monde, voici que la sagesse inspire les propos que le roi adresse à son héritier, sagesse qui s'est fait longtemps attendre de sa part mais qui démontre qu'il n'est jamais trop tard pour bien faire :

— Mon fils, lui dit-il, bien des gens penseront peut-être que, pour abandonner une aussi grande félicité, si toutefois on peut appeler félicité la possession d'un royaume si grand et si riche, je meurs avec ce regret. En vérité, ils se trompent bien ; j'ai déjà vécu ma part. Et maintenant que je sais laisser pour mon successeur un prince aussi sage que vous l'êtes, puisqu'il plaît à Dieu de me rappeler à lui, je meurs l'homme le plus content du monde. Il ne manque qu'une chose pour mettre le comble à mon contentement, c'est que vous, mon fils, me promettiez d'exécuter mes dernières volontés.

Abandonnant alors le ton aimable qui était le sien, comme pour donner plus de poids à ses paroles, le roi ajoute :

— Mon fils, prenez garde à la famille des Guise. Je vous adjure de ne pas laisser entrer au Conseil ces fieffés ambitieux ; je vous demande aussi de ne point rappeler Montmorency...

Épuisé par l'effort fourni, le roi baisse les paupières... N'a-t-il plus aucune recommandation à formuler ? Ce serait mal connaître ce « chevalier de l'amour ». Prenant la main d'Henri, et la serrant fortement, il murmure :

— Je recommande la duchesse d'Étampes à votre courtoisie. C'est une dame.

Tout en proférant cette prière, il se souvient sans doute de ce que la dame en question lui a coûté et a coûté au trésor royal, car il émet un dernier conseil significatif :

— Ne vous soumettez à la volonté d'autres, comme je me suis soumis à la sienne.

Il s'agit là d'une allusion qui vise Diane de Poitiers, dont il connaît le féroce appétit. Au moment de fermer les yeux, le roi semble donc les avoir ouverts sur les desseins de la « belle entre les belles ». Par expérience personnelle, il peut comparer les agréments qu'offre une favorite avec les désagréments qu'elle provoque. Quel dommage qu'il n'y ait pas pensé plus tôt !

Saisi par l'émotion, Henri promet d'obéir. Est-il sincère ? Peut-être, en cette minute dramatique. Il demande à son père de le bénir et « s'évanouit sur le lit du roi, lequel le tenait à demi embrassé et ne le pouvait laisser échapper ».

Cette touchante communion des cœurs ne survivra pas à François Ier. Henri s'empressera d'oublier son serment ; l'absence de mémoire fait partie de la panoplie des chefs d'État. Pendant que le roi agonise et que son fils pleure à chaudes larmes, dans un appartement proche de la chambre royale, Diane et les Guise passent déjà en revue les diverses pièces de leur butin, pareils à des larrons qui se partagent les fruits de leur mauvais coup.

De temps à autre, Mme de Poitiers va s'informer de l'agonisant, dont les gémissements lui semblent prometteurs d'une fin prochaine. Soudain, un cri plus fort que les autres fait apparaître sur son visage une expression de triomphe :

— Voilà qu'il passe, le galant ! s'écrie-t-elle.

Curieuse oraison funèbre pour un roi qui fut aussi un chevalier. C'était celle que la mort d'un homme qui avait été jadis son ami, qui l'avait comblée de bienfaits, inspirait spontanément à la « belle entre les belles »... Il est des circonstances où la véritable nature d'un être se révèle...

Le 31 mars 1547, le Roi-Chevalier a donc cessé de vivre et Henri II lui succède.

Mais, surtout, cette date marque le couronnement de Diane. Triomphe paradoxal : à l'approche de la cinquantaine, un âge qui, à cette époque, mettait un terme définitif aux prouesses amoureuses d'une femme, elle règne sans partage sur le cœur et les sens d'un homme de vingt ans son cadet. Avec une volonté implacable, une habileté de chaque instant, elle a atteint son objectif : le pouvoir absolu. Devant cette réussite, on ne sait s'il faut davantage admirer son savoir-faire que blâmer son âpreté. La voici à pied d'œuvre pour accomplir ses deux desseins : s'enrichir le plus possible et écarter ceux qui l'ont combattue sous le règne du défunt souverain.

Au premier rang de ses cibles se trouve évidemment Anne d'Étampes. Réfugiée sur ses terres de Limours, l'ancienne favorite s'attend au pire. Pourtant, les jours passent sans qu'aucune menace ne se précise. Comme Anne ne manque pas d'audace, elle demande audience au nouveau roi de France, afin de récupérer l'appartement qu'elle occupait au château de Saint-Germain. Cette fois, elle est allée trop loin ; Henri II la remet à sa place. Quant à Diane, avide de satisfaire sa rancune envers Anne, elle songe à la faire inculper de trahison pour avoir, comme on l'en avait soupçonnée, entretenu des contacts avec Charles Quint. Après réflexion, pensant à l'avenir, Diane juge que ce serait créer un dangereux précédent à l'encontre des favorites royales tombées en disgrâce.

Elle use donc vis-à-vis de sa rivale d'une autre tactique qui, pour être moins directe, n'en est pas moins perverse. Après avoir confisqué à son profit une partie des terres et des bijoux que François Ier avait offerts à sa maîtresse, Diane « exhume » le mari trompé, ce Jean de Brosses oublié depuis si longtemps, qui, tout heureux de pouvoir profiter des biens de son infidèle épouse, exige qu'elle regagne leur château de Bretagne. L'infortunée duchesse, ainsi contrainte de mener une vie conjugale qui l'insupportait, soupirait souvent : « N'est pas veuve qui veut. »

Elle devra attendre dix-huit années pour être enfin débarrassée de cet époux récalcitrant... à retardement. Oubliée de tous, elle ne mourra qu'en 1580, à plus de soixante-dix ans. Il y avait longtemps que, pour leur part, Henri II et Diane de Poitiers avaient quitté ce monde.

Ainsi qu'on peut s'en douter, François Ier n'est mort que depuis trois jours qu'Henri II a déjà oublié la promesse qu'il lui avait faite. Aux côtés de Diane, Montmorency et les deux Guise bénéficient de la faveur royale.

Sitôt en place, les quatre « larrons » se précipitent sur le « magot ».

Comme l'écrit Philippe Erlanger : « Les caractères de ces rapaces favorisaient leur alliance. Si l'avarice de Montmorency dépassait son ambition, les Guise, malgré leur amour de l'or, mettaient la gloire au-dessus des richesses. C'étaient donc eux qui devaient s'entendre le plus facilement avec la favorite, qui ne préférait rien que l'argent. »

Pendant les douze années de son « règne », Diane de Poitiers devait en effet piller consciencieusement les finances de la France.

François Ier ne fut enterré que le 21 avril. Il avait fallu trois semaines pour préparer l'ordonnance de ses obsèques. Celles-ci devaient être d'une magnificence égale à celle du règne. Comme il avait vécu, François ne pouvait mourir qu'au milieu d'une pompe exceptionnelle. Une dernière fois, il donnait à son peuple le spectacle de sa grandeur.

Parce que, avec une folle témérité, une générosité sans égale, le Roi-Chevalier s'était lancé à la poursuite impossible du Graal, il allait laisser à la postérité un souvenir qui ne s'effacerait jamais. Au panthéon des figures mythiques de l'Histoire de France, son nom se mêle à ceux de Jeanne d'Arc, Louis XIV, Napoléon, Guynemer ou de Gaulle. À toutes les raisons qui expliquent et justifient ce choix de la mémoire collective, à Marignan, au Camp du Drap d'or, aux splendeurs de la Renaissance, à la création d'une culture nationale, à l'œuvre aussi riche que diverse qu'il a accomplie, peut-être faut-il ajouter ce sentiment plus intime : de tout son cœur, il a su aimer.

TABLE

Achevé d'imprimer en février 1999
sur presse Cameron
*par **Bussière Camedan Imprimeries***
à Saint-Amand-Montrond (Cher)

N° d'édition : 3584. N° d'impression : 990370/1.
Dépôt légal : février 1999
Imprimé en France